# Franchir les étapes de la conscience

Catalogage avant publication de Bibliothèque
et Archives nationales du Québec et Bibliothèque
et Archives Canada

Rancourt, Benoît
    Franchir les étapes de la conscience
    4e éd.
    (Collection Psychologie)
    ISBN 978-2-7640-1453-0
    1. Autodéveloppement. 2. Actualisation de soi.
I. Titre. II. Collection: Collection Psychologie (Éditions
Quebecor).

BF632.R36 2009    158.1    C2009-940305-6

DISTRIBUTEURS EXCLUSIFS:

• Pour le Canada et les États-Unis:
**MESSAGERIES ADP***
2315, rue de la Province
Longueuil, Québec J4G 1G4
Tél.: (450) 640-1237
Télécopieur: (450) 674-6237
* une division du Groupe Sogides inc.,
filiale du Groupe Livre Quebecor Média inc.

• Pour la France et les autres pays:
**INTERFORUM editis**
Immeuble Paryseine, 3, Allée de la Seine
94854 Ivry CEDEX
Tél.: 33 (0) 4 49 59 11 56/91
Télécopieur: 33 (0) 1 49 59 11 33

**Service commande France
Métropolitaine**
Tél.: 33 (0) 2 38 32 71 00
Télécopieur: 33 (0) 2 38 32 71 28
Internet: www.interforum.fr

**Service commandes Export –
DOM-TOM**
Télécopieur: 33 (0) 2 38 32 78 86
Internet: www.interforum.fr
Courriel: cdes-export@interforum.fr

• Pour la Suisse:
**INTERFORUM editis SUISSE**
Case postale 69 – CH 1701 Fribourg –
Suisse
Tél.: 41 (0) 26 460 80 60
Télécopieur: 41 (0) 26 460 80 68
Internet: www.interforumsuisse.ch
Courriel: office@interforumsuisse.ch

**Distributeur: OLF S.A.**
ZI. 3, Corminboeuf
Case postale 1061 – CH 1701 Fribourg –
Suisse

**Commandes:** Tél.: 41 (0) 26 467 53 33
Télécopieur: 41 (0) 26 467 54 66
Internet: www.olf.ch
Courriel: information@olf.ch

• Pour la Belgique et le Luxembourg:
**INTERFORUM editis BENELUX S.A.**
Boulevard de l'Europe 117,
B-1301 Wavre – Belgique
Tél.: 32 (0) 10 42 03 20
Télécopieur: 32 (0) 10 41 20 24
Internet: www.interforum.be
Courriel: info@interforum.be

Dépôt légal: 2009
Bibliothèque et Archives nationales du Québec

Pour en savoir davantage sur nos publications,
visitez notre site: www.quebecoreditions.com

Éditeur: Jacques Simard
Conception de la couverture: Bernard Langlois
Illustration de la couverture: Corbis
Conception graphique: Sandra Laforest
Infographie: Claude Bergeron

Imprimé au Canada

Gouvernement du Québec – Programme de crédit d'impôt pour l'édition
de livres – Gestion SODEC.

L'Éditeur bénéficie du soutien de la Société de développement des entre-
prises culturelles du Québec pour son programme d'édition.

Nous reconnaissons l'aide financière du gouvernement du Canada par
l'entremise du Programme d'aide au développement de l'industrie de
l'édition (PADIÉ) pour nos activités d'édition.

# Benoît Rancourt

# Franchir les étapes de la conscience

## Le pouvoir de s'actualiser

LES ÉDITIONS
Quebecor
Une compagnie de Quebecor Media

# Table des matières

# *Avant-propos*

Il était une fois un homme savant qui discutait avec le timonier d'un navire de recherches. Les conditions de navigation étaient périlleuses étant donné les vents très violents et la proximité de récifs menaçants. Le savant, sans doute pour oublier son anxiété, questionnait sans cesse le timonier sur ses études.

> — Avez-vous étudié les mathématiques, mon cher ami ? lui demanda-t-il.
> — Non, répondit le timonier.
> — Quel dommage ! C'est tellement passionnant les mathématiques. Sans elles, c'est le quart de votre vie que vous avez perdu. Mais, au moins, avez-vous étudié l'astronomie ?
> — Non plus ! répliqua le timonier.
> — Quel dommage ! C'est comme si vous aviez perdu la moitié de votre vie en vous privant de cette science.

Le savant s'apprêtait à poser une autre question, sa dernière, quand soudain le bateau fut projeté sur un récif et, en moins de vingt secondes, les deux hommes se retrouvèrent dans une mer déchaînée. Le timonier posa alors une question au savant :

> — Avez-vous appris la natation ?
> — Non ! cria le savant.
> — Quel dommage ! s'exclama le timonier. Vous auriez dû car, cette fois, c'est **toute** votre vie que vous risquez fort de perdre !

Faut-il croire que certaines connaissances sont plus utiles à vivre que d'autres ?

C'est une question que je me suis déjà posée il y a une douzaine d'années, après avoir terminé ma maîtrise en psychologie : De tout ce que j'ai appris, qu'est-ce qui est vraiment utile à mon évolution ? Et j'ai réalisé que je savais peut-être beaucoup de choses, mais peu de choses utiles. J'écoutais parfois mes premiers clients en pensant : « S'ils avaient su ceci ou cela, peut-être n'auraient-ils pas eu besoin de moi ? » J'ai pris conscience, cependant, que le savoir ne suffisait pas, car j'ai rencontré bien des gens qui savaient mais qui souffraient toujours autant. Nous souffrons souvent parce que nous sommes ignorants et nous apprenons alors de nos souffrances. Parfois, nous savons, mais nous souffrons encore parce que nous n'agissons pas. On peut avoir la tête bien pleine, mais si le cœur n'a pas assimilé ce savoir dans une action concrète, rien ne change.

Je peux lire Jung qui considère que « nous devenons malades parce que nous gardons nos secrets » ou Freud pour qui « la névrose est basée sur le maintien du secret », ou encore l'évangile de Thomas qui énonce si sagement que : « Si tu exprimes ce qui est en toi, ce que tu exprimes te sauvera ; si tu n'exprimes pas ce qui est en toi, ce que tu n'exprimes pas te détruira. » Je peux savoir tout ça, adhérer à ces belles paroles, mais si je demeure prisonnier du silence, inhibé par la peur, rien ne change.

Me nourrir de ces vérités, c'est bien, c'est même très bien, mais ce n'est pas suffisant. Tant que ces vérités ne constituent qu'une collection de mots au creux de mon cerveau, rien ne change.

Je peux encore me nourrir d'un Khalil Gibran pour qui « une connaissance limitée qui agit vaut mieux qu'un grand savoir paresseux », ou d'un Bouddha qui exprimait que « si un homme se contente d'entendre le véritable enseignement sans le mettre en pratique, il échouera dans sa recherche de l'illumination ».

Me nourrir de ces vérités, c'est bien, c'est même très bien, mais ce n'est pas encore suffisant. Tant que ce savoir ne donne pas naissance au savoir-faire dans une action concrète, rien ne change.

Savoir, c'est un peu comme manger, c'est agréable, mais si cette nourriture n'est pas digérée et assimilée, je mourrai tout de même de faim. Le savoir-faire, c'est la digestion, l'assimilation et l'élimination de ce qui n'est plus utile.

Un « savoir-quoi-faire » avec ce que je sais conduit à une nouvelle expérience, à un savoir-être qui se veut conscience agissante. Franchir les étapes de la conscience, c'est d'abord développer cette conscience agissante en soi liée à une action consciente dans sa vie quotidienne.

Mais comment une collection de mots pourrait-elle devenir une œuvre utile à cette conscience agissante ? Le pouvoir des mots est très limité quand on sait que la conscience qui guérit, parce qu'elle agit, se trouve bien au-delà du discours mental. Un mot n'est qu'un mot, comme un doigt n'est qu'un doigt ; même s'il pointe la lune, il ne la touche pas. Un mot ne fait que pointer une direction sans toucher à la vérité. Il appartient au cœur qui le saisit d'aller au-delà en explorant suffisamment la direction proposée pour découvrir si ce chemin lui convient, si oui, d'avancer plus loin, si non, de l'abandonner tout simplement, mais de toute façon, plus conscient du pas à accomplir.

Puisse une énergie d'amour, de lumière et de conscience nous accompagner à travers chacun des mots pour qu'ils deviennent autant de pas accomplis sur le Chemin...

# *Introduction*

Les connaissances les plus utiles sont sans doute celles qui nous conduisent à la connaissance et à la conscience de soi. Aucun savoir en lui-même n'a le mérite, cependant, de repousser les frontières de notre conscience. C'est bel et bien notre conscience qui peut se nourrir d'un certain savoir qui, appliqué dans une action concrète, conduit à une conscience et à une action encore plus libres. Bien souvent, nous apprenons notre vie d'homme et de femme par essais et erreurs, avec les douleurs qui y sont associées. Existe-t-il un moyen de limiter notre souffrance ou de la transformer en conscience et d'agir ainsi d'une façon plus juste ?

Tel est le dessein de mes propos, qui vous invitent à explorer certaines connaissances qui facilitent la croissance, tant sur les plans personnel, interpersonnel que transpersonnel. Des outils de travail sur soi sont proposés, avec la conviction qu'il est possible d'utiliser les événements, ses expériences, ses relations interpersonnelles dans une direction de croissance. Des outils qui nous offrent l'occasion de devenir le véritable spécialiste de notre développement dans la vie quotidienne, en devenant créateur de nouveaux outils d'autodéveloppement adaptés à nos besoins.

Je vous propose donc certaines «nourritures» conceptuelles sans verser toutefois dans le recueil de recettes. Il est essentiel de rajouter ses propres ingrédients que sont la réflexion et la remise en question. Certains passages sont écrits volontairement dans le but d'atteindre, de toucher et, parfois même, de provoquer. Il suffit quelquefois d'une petite phrase qui pénètre en soi, qui prend vie en soi ; non pas qu'elle constitue une vérité en elle-même, mais elle peut chatouiller une vérité en soi-même qui nous permet d'avancer plus loin sur le chemin de la conscience.

Nous allons commencer notre voyage en saisissant l'occasion de découvrir ce qui nous est commun en tant qu'humains, la façon dont nous sommes constitués et influencés par notre éducation. Cette première partie, plus théorique, mais brève, s'interroge sur le fonctionnement optimal d'une personne actualisée et déterminera si nous sommes constitués pour agir d'une telle façon[1].

C'est dans la deuxième partie que nous amorcerons le travail sur soi avec l'art de transformer nos peurs en alliées de croissance. Tant que nos peurs nous confinent dans l'inaction, notre évolution reste très précaire. En franchissant l'obstacle de nos peurs, nous nous remettons en marche. Pour guider alors nos pas, nous entrerons dans le royaume de nos valeurs et de nos besoins, pour y découvrir des points de référence qui nous permettront de nous orienter dans l'existence.

Puis, comme la croissance n'est pas seulement une question personnelle, nous entrerons dans la dimension interpersonnelle du travail sur soi. Nous rencontrerons notre semblable qui chemine à nos côtés. Ce sera alors le travail ardu de la communication authentique. Cette transparence préparera le terrain à la capacité de vivre l'amour qui s'imposera comme un vaste territoire à découvrir. Amour aux multiples visages où les impasses éblouissantes nous attirent plus souvent qu'autrement pour nous perdre. Nous perdre certes, mais pour mieux nous retrouver sur le sentier d'un amour plus mature.

Dans le but de donner plus de maturité à notre capacité d'amour, nous aborderons la dimension transpersonnelle de la croissance. Les méandres de l'amour et ses exigences nous amèneront à nous interroger sur la nature de la réalité pour découvrir notre véritable identité spirituelle au-delà de notre individualité. Nous explorerons alors les attitudes qui prépareront cette Grande Mort de l'ego, pour que puisse s'épanouir ce que nous sommes au plus profond de nous.

Comme la dimension transpersonnelle de la croissance doit s'incarner dans le quotidien, quoi de mieux que le couple pour enraciner cette spiritualité et mettre en application tous les outils abordés précédemment pour que notre capacité d'amour gagne sa pleine maturité. Nous verrons que la relation d'intimité avec l'autre, dans l'engagement, devient un moyen privilégié de développer une vie de plus en plus consciente.

---

1. Le lecteur moins intéressé par un relevé de la littérature sur le processus d'actualisation, et n'ayant pas besoin d'être convaincu que nous sommes tous potentiellement aptes à nous actualiser, peut sans inconvénient débuter par la lecture de la deuxième partie.

# PREMIÈRE PARTIE

# Le pouvoir de s'actualiser

« Voici le paradoxe poignant de l'homme :
un cerveau capable d'une
autotranscendance sans fin,
mais également susceptible d'être
entraîné à un comportement
d'autolimitation. »

M. Ferguson

# CHAPITRE 1

# *Le processus d'autodéveloppement*

> *« Exister, c'est changer ;*
> *changer, c'est mûrir ;*
> *mûrir, c'est se créer sans cesse. »*
>
> H. Bergson

**F**aire quelque chose **pour soi, par soi, avec** les autres, en direction de sa **croissance**, dans sa vie **quotidienne**, définit succinctement ce que j'entends par **autodéveloppement**.

Mais, pour **faire** quelque chose, il faut une **énergie** de motivation accompagnée d'une **intention d'agir**. Cette énergie nécessaire à l'action devient disponible quand se fait sentir ce besoin d'actualisation de soi. C'est souvent le mal-être qui éveille lentement ce besoin de grandir et qui élève la conscience. Sans mal-à-vivre, sans malaise, la nature humaine se fait facilement paresseuse et stagne, ce qui en soi devient une autre source de mal-être.

En réalisant que notre tâche existentielle consiste à franchir tous les obstacles qui limitent notre épanouissement, nous devenons alors candidat à l'autodéveloppement. Le processus commence avec la prise de conscience d'être le **premier responsable** de son bien-être, personne d'autre que soi ne peut effectuer ce travail intérieur nécessaire.

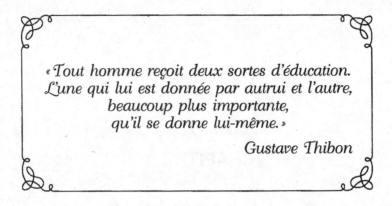

« *Tout homme reçoit deux sortes d'éducation.
L'une qui lui est donnée par autrui et l'autre,
beaucoup plus importante,
qu'il se donne lui-même.* »

Gustave Thibon

Pour fonctionner correctement, la société n'exige pas que nous nous donnions cette seconde éducation. Par contre, pour vivre dans toute notre plénitude, nous ne pouvons pas reculer devant cette tâche d'auto-éducation. **Gagner** sa vie est une nécessité sociale. **Réaliser** sa vie devient une nécessité personnelle tout aussi vitale quand les symptômes d'arrêt de notre développement se font entendre à travers un langage du corps (migraines, maladies répétitives, ulcères, etc.), ou de l'être (perte de sens à la vie, sentiment de futilité, de vide, etc.). Mais ces souffrances ont un sens : elles doivent se transformer en conscience par un nécessaire travail sur soi.

Toutes les connaissances du monde sur l'autodéveloppement sont inutiles si elles ne conduisent pas au travail sur soi. Et travailler sur soi, c'est s'inscrire volontairement à la grande école de la Vie, au lieu de rester assis paresseusement sur ses bancs en rêvant d'école buissonnière. Personne n'échappe jamais à cette grande école de toute une vie ; on peut la subir ou la choisir. Travailler sur soi, c'est choisir d'apprendre à apprendre. Apprendre est une chose, apprendre à apprendre en est une autre qui repose sur la créativité. On apprend une base comme les connaissances exposées dans cet essai, on agit pour vérifier leur valeur, et on découvre un nouveau savoir, un nouveau savoir-faire qui conduit au savoir-être ; c'est l'art d'apprendre à apprendre.

Grandir est un besoin fondamental latent en chacun de nous, mais il ne se fait entendre avec force qu'à une certaine étape de sa vie. Comme tout besoin, le besoin de grandir commence à se faire entendre par une frustration, un manque de quelque chose, mais quelque chose qui ne relève pas du monde de l'avoir qui se laisse acquérir ou posséder, mais qui concerne plutôt le monde de l'être. Il arrive une étape où ce « manque-à-être » commence à nous faire mal et, pour la première fois, nous nous regardons dans le miroir de la vie. Nous voyons notre façon de vivre qui fait de nous des frustrés existentiels. Nous prenons conscience de la marge entre ce que nous vivons et ce que nous aimerions vivre, quand ce n'est pas tout simplement le goût de vivre que nous avons perdu. Nous voyons défiler nos futilités quotidiennes avec impuissance et parfois avec dégoût.

Quand ce jour arrive, un grand jour s'est levé. Le jour où de nouveaux besoins sont nés : le besoin de grandir, de se connaître, de donner un sens à son existence, de communiquer au-delà des banalités, de ressentir ce mouvement vers une conscience accrue de soi et de l'Univers. C'est un grand jour, mais nous sommes bien démunis. La société nous indique ce qu'il faut faire pour gagner sa vie, mais une fois que cette vie est « gagnée » par le travail rémunéré, quelque chose manque encore. L'école de la Vie tente de nous enseigner une tout autre leçon, mais comme il n'y a ni professeur, ni examen, ni diplôme, rien pour nous pousser, nous attendons passivement que quelque chose de « grandissant » se passe dans notre vie. Mais rien ne se passe, car c'est justement à nous de passer à l'action. L'apprentissage au travail sur soi n'est que cette action qui conduit vers une meilleure connaissance et conscience de soi.

Cette action peut suivre deux directions opposées :

SÉCURITÉ                                              RISQUE
(connu)                                               (inconnu)

L'actualisation de soi exige que nos actions tendent de plus en plus vers le pôle du risque. Ce qui est connu doit servir de tremplin vers l'inconnu. Il existe tout un continuum entre ces deux pôles. Plus l'actualisateur fait des actes qui lui semblent risqués, mais possiblement enrichissants pour lui, plus il devient un « haut preneur de risques ». Il lui devient facile de prendre des risques, puisque la peur d'agir en direction de sa croissance a diminué, dans la même mesure où sa sécurité intérieure a grandi. Il lui est devenu naturel d'apprendre à apprendre et il sait mettre l'inconnu au service de sa croissance.

L'actualisateur découvre que le processus d'autodéveloppement conduit à la création continuelle de nouveaux outils de croissance. Il découvre peu à peu que de nouvelles méthodes de résolution de problèmes viennent se rajouter à celles qu'il connaît déjà. Plus la personne grandit, plus elle se dirige de l'intérieur, comme si une sagesse la prenait en charge pour la guider dans les meilleures directions. Elle offre de moins en moins de résistance au passage de la Conscience en soi.

Les obstacles sont cependant nombreux dans notre projet de vivre plus consciemment. L'un deux provient du contexte socioculturel dans lequel nous baignons.

## Société et développement personnel

La culture dans laquelle nous naissons favorise d'innombrables apprentissages et prend en charge une grande partie de notre développement qui peut être orienté dans toutes les directions, selon la société qui nous accueille. Notre personnalité se construit avec les éléments que fournit notre culture qui en constitue le cœur[2].

Chaque société favorise l'apparition de certains comportements et en réprime d'autres, jugés incompatibles avec les buts et les objectifs qu'elle poursuit. La culture remplit donc une fonction normalisatrice de nos conduites et de nos expériences. Le processus de développement se voit ainsi orienté dans une certaine direction compatible avec les objectifs sociaux. Cette orientation du processus de croissance opère une sélection de certaines façons de penser, de sentir et d'agir et entraîne inévitablement une limitation de notre façon d'être et de faire. La personne ne peut tout faire, tout penser, tout ressentir à cause des normes intériorisées autorisant ou interdisant la manifestation de certains comportements, idées ou émotions. Il existe en nous un code inconscient permettant ou interdisant ce qu'il convient ou non d'être ou de faire[3].

---

2. « La personne qui participe à une culture ne l'expérimente pas simplement comme quelque chose d'extérieur, mais comme quelque chose de profondément intériorisé qui forme une composante intégrale de sa structure et de son économie psychique. »

Devereux, cité par Servantie et coll., 1971

« La culture remplit sur le plan psychologique une fonction de "moulage" des personnalités individuelles. Une culture est en effet comme une sorte de moule dans lequel sont coulées les personnalités psychiques des individus ; ce moule leur propose ou leur fournit des modes de pensées, des connaissances, des idées, des canaux privilégiés d'expression des sentiments, des moyens de satisfaire ou d'aiguiser des besoins physiologiques, etc. »

Rocher, 1969

3. « Des règles gouvernent tous les aspects de l'expérience humaine, ce que nous devons éprouver, ce que nous ne devons pas éprouver, les opérations que nous devons et ne devons pas effectuer afin d'aboutir à une image autorisée de nous-même et des autres... le désir, la pensée même et la règle interdisant le désir et la pensée sont éliminés de notre conscience, de telle sorte que le produit de ces opérations sur soi-même est un état "normal" de conscience, où l'on est inconscient du désir, de la pensée et des règles et des opérations subséquentes. »

Laing, 1972

« ... Chaque société reflète implicitement une conception plus ou moins précise de la croissance personnelle. Il s'agit d'un idéal de vie, d'une conception de la personne idéale proposée par cette société et les moyens qui permettent de parvenir à cet état de choses (...) Généralement, cette conception collective de la croissance n'est pas centrée sur le développement optimal des ressources individuelles, mais sur le développement partiel, dans la forme qui permet de s'adapter à cette société telle qu'elle existe. Il s'agit donc plutôt d'un fonctionnement proposé comme idéal et visant à assurer à l'individu une satisfaction suffisante, sans qu'il nuise à la collectivité dans son état actuel. »

Garneau et Larivey, 1979

L'éducation actualise donc une partie de notre potentiel, tout en réprimant une autre partie qui ne doit jamais se manifester pour ne pas entrer en conflit avec le mode de fonctionnement social établi. «Dans le développement normal, l'individu vit sa répression "librement", comme si elle était sa propre vie; il désire ce qu'il est normal de désirer» (Marcuse, 1970). «Toute société pour survivre doit façonner le caractère de ses membres de façon à ce qu'ils désirent faire ce qu'ils doivent faire» (Fromm, 1981). Le «bon» fonctionnement social se voit ainsi favorisé.

Alors que l'adaptation consiste en cette capacité qu'a l'individu de répondre aux nouvelles exigences de son environnement qui se modifie, l'actualisation est la capacité de se développer en fonction de sa propre exigence personnelle, en fonction de son rythme, de ses aspirations, de ses objectifs personnels. «La différence qui s'établit entre adaptation et actualisation de soi réside principalement en cette possibilité qu'a l'organisme, lors de l'actualisation, d'utiliser un potentiel nouveau jamais utilisé auparavant pour répondre à de plus grandes exigences» (Joshi, 1974). L'actualisation dépasse le simple niveau de l'adaptation, à cause de l'utilisation plus que nécessaire du potentiel. Alors que la personne qui s'adapte répond aux exigences de son environnement, la personne qui s'actualise développe son potentiel en fonction de ses propres besoins et de ses valeurs, ce qui lui permet de reconquérir la totalité de son être qui s'est vu amputé dans ce long processus de socialisation.

S'actualiser, c'est élargir constamment son **répertoire expérientiel et comportemental**, c'est-à-dire sa façon de penser, de sentir et d'agir. C'est reconquérir son **droit d'être** dans sa totalité.

## Adaptation versus actualisation

Tout le processus de croissance repose sur la capacité d'apprentissage. L'actualisateur utilise cette capacité d'une façon supérieure, comparativement à l'adaptateur.

| ADAPTATION | ACTUALISATION |
|---|---|
| L'individu est pris en charge par le milieu parental et social dans son enfance et son adolescence, milieu qui lui inculque les normes et les modèles qui lui sont nécessaires pour jouer les rôles sociaux. | L'individu n'est plus pris en charge par son milieu. Il est maintenant le seul responsable de son existence. Il est toujours interdépendant des autres pour faire ses apprentissages, mais il est à la fois son propre maître et son propre élève. Il est responsable de découvrir les situations d'apprentissage, les objectifs qu'il se fixe et les moyens pour y arriver. Il a la responsabilité de ses besoins et de leur satisfaction. Il assume les conséquences de ses actes. En somme, la responsabilité n'est pas vécue comme une obligation mais comme un libre choix. Il assume la responsabilité de « réaliser » sa vie. |
| Une fois adulte, il a la responsabilité d'être conforme aux attentes sociales. La responsabilité devient souvent synonyme d'obligation et prend un caractère de nécessité. Il a la responsabilité de « gagner » sa vie, d'acquérir son autonomie financière, personnelle et sociale. | |
| L'individu a tendance à faire des choix en fonction de sa sécurité psychologique, qui favorisent le statu quo développemental. Face à un conflit, il cherche à éviter le malaise. Il n'ose affronter les situations qui lui font peur. Il agit dans un cadre existentiel relativement restreint hors duquel il craint de s'évader. Il choisit de protéger ses acquis pour ne rien perdre. | L'individu fait des choix de croissance même si ces choix impliquent un risque. Il se permet donc de vivre de nouvelles situations. Il est ouvert à l'expérience. Il sait utiliser les conflits dans une perspective développementale. Sa peur devient un guide lui indiquant la direction à prendre pour se découvrir davantage. Il élargit constamment son répertoire expérientiel et comportemental face à l'environnement. Il choisit de risquer ses acquis pour se réaliser davantage. |
| L'individu est conforme aux rôles et aux attentes correspondantes pour exprimer son vécu. Il s'inscrit dans un réseau de double protection où chacun s'efforce de garder la face tout en sauvegardant celle de l'autre. Chacun se protège derrière la façade du paraître en évitant de déranger l'autre et d'être dérangé par lui. Il est préoccupé du jugement des autres, il recherche leur approbation, il craint d'être abandonné, de perdre l'amour d'autrui s'il ose exprimer ce qu'il vit réellement. | L'individu transcende les rôles sociaux pour exprimer son vécu, ceux-ci ne permettant pas de communiquer toute la complexité de ses émotions et de ses sentiments. Il ne protège pas l'autre, pas plus qu'il ne se protège lui-même outre mesure. Son être émerge de la façade, du paraître. Il se montre authentique, congruent, ouvert. Il exprime autant sa faiblesse que sa force, sa peur autant que son courage. Il devient son propre juge. Il sait ce qui est bon ou mauvais pour lui. Sa valeur personnelle ne dépend plus du jugement d'autrui. |

Selon Carkhuff, il existe trois conditions nécessaires à l'activation du processus d'actualisation de soi : la conscience d'un mode de fonctionnement existentiel optimal ; la prise de conscience d'une marge entre son mode de fonctionnement actuel et le mode de fonctionnement optimal, et une formation didactique ayant pour but de favoriser un tel mode de fonctionnement optimal. Cette première partie facilite la réalisation des deux premières conditions. Avant de se pencher sur la dynamique de la formation, il convient de se poser certaines questions pertinentes. En sachant que Maslow estimait que seulement 1 % de la population vivait dans un tel mode de fonctionnement optimal, on peut se demander si l'actualisation de soi n'est réservée qu'à une élite. Sommes-nous constitués pour atteindre un tel type de fonctionnement optimal, notre organisme recèle-t-il en lui ce potentiel ? Mais auparavant, explorons plus attentivement en quoi consiste le fonctionnement optimal de la personne.

## La personne qui s'actualise

Carkhuff (1981) a effectué plusieurs études sur les personnes actualisées. Pour lui, les personnes en voie d'actualisation recherchent constamment à étendre leur répertoire comportemental et expérientiel comme source de leur liberté, de leur productivité et de leur créativité. La liberté, la spontanéité et la créativité font que leurs interactions avec l'environnement sont très flexibles. La liberté caractérise les actualisateurs, tandis que le déterminisme dirige la vie des personnes fonctionnant moins pleinement, qui réagissent de façon rigide et stéréotypée face aux situations souvent répétitives. La personne qui s'actualise apprend à conquérir la totalité de son être dans sa vie quotidienne et elle sait même utiliser les périodes de crise en direction de sa croissance, considérant celles-ci comme une meilleure occasion de croissance.

Carkhuff considère le processus d'actualisation du potentiel humain comme un processus d'apprentissage, d'acquisition de nouvelles réponses impliquant un développement qualitatif et quantitatif dans sa façon de penser, de sentir et d'agir, dans son interaction avec l'environnement. Il définit opérationnellement l'actualisation comme le processus d'apprentissage qui accroît la qualité et la quantité de nos réponses physiques, émotionnelles et intellectuelles dans la vie quotidienne. Cette disposition à l'apprentissage, qui est une caractéristique dominante des actualisateurs, offre un contraste évident avec le névrosé pour qui :

« (…) la création de nouvelles formes de conduite se réduit de plus en plus. Les possibilités de choix diminuent. Il perd des options et par cela même il n'est plus libre (…). Le névrosé se trouve dans une impasse dans laquelle il ne trouve ni l'information ni le courage nécessaire pour

réaliser les conduites alternatives dialectiques qui facilitent son dépassement (...). Le déficit de conduites alternatives chez le névrosé détermine
un déficit évident de sa capacité d'apprentissage. »

Benoît et Berta, 1973

En somme, le névrosé est un individu qui a appris à ne plus
apprendre, tandis que l'actualisateur possède ce potentiel d'apprentissage et l'utilise. Ce processus d'apprentissage comprend trois phases :
une phase d'exploration des expériences et des situations d'apprentissage, permettant à la personne de reconnaître quand elle se trouve en
contact avec ces situations d'apprentissage et de s'y engager ; une phase
de compréhension et de détermination des buts d'apprentissage à
atteindre, phase où les objectifs sont fixés ; finalement, une phase
d'action où la personne réalise son programme d'action pour développer
les habiletés fixées par ses objectifs. En somme, l'actualisateur sait
percevoir les situations d'apprentissage (et même en créer), déterminer
ses propres objectifs d'apprentissage, et agir concrètement pour les
réaliser.

Plusieurs chercheurs se sont intéressés au processus de croissance.
Pour Rogers (1968), par exemple, la vie pleine est un processus, non
un état ; une direction, non une destination. La direction qui caractérise
la vie pleine est celle qui est choisie par la personne dans sa totalité,
quand il y a liberté psychologique de se mouvoir dans n'importe quelle
direction.

« La "vie pleine", d'après mon expérience, est le processus de mouvement
dans une direction que choisit l'organisme humain quand il est libre
intérieurement de se mouvoir dans n'importe quelle direction, et les traits
généraux de cette direction choisie semblent avoir une certaine univer-
salité. »

Rogers, 1968

Ce processus de croissance se caractérise par une ouverture accrue
à l'expérience, qui représente le pôle opposé à l'attitude défensive, une
vie existentielle accrue qui implique une tendance croissante à vivre
dans le moment présent, une confiance accrue dans son organisme,
permettant à la personne de faire confiance à ce qu'elle ressent comme
bon pour guider ses conduites. Les clients qui ont participé à un processus thérapeutique semblent laisser tomber les directions suivantes : « par-
delà les façades », les « je devrais », le « ce qu'on attend de vous », le
« devoir faire plaisir aux autres », et ils se tournent vers l'autodirection,
la mobilité, le processus, la complexité, l'ouverture à l'expérience,
l'acceptation d'autrui, la confiance en soi. La personne se dirige vers
une plus grande authenticité, animée par le désir d'être vraiment elle-
même.

Perls, à travers sa gestalt thérapie, propose comme objectifs d'être en vie, entier, présent à soi, responsable et en contact avec le monde. Le thérapeute veut aider la personne à se remettre en marche, en mouvement et lui apprendre à sentir, à risquer et à agir. Par «être entier», il faut comprendre «être en contact avec soi», avec les différentes facettes de notre monde intérieur.

En étant présent à soi, il s'agit pour la personne de s'abandonner à soi, de coïncider avec ce qu'elle ressent, de devenir consciente de ce qui se passe en elle. En étant responsable, la personne trouve son support en elle-même, elle s'assume comme l'artisan de son existence. Finalement, la personne se doit d'être capable d'établir un vrai contact avec son environnement. Perls définit la santé psychologique et la maturité comme la capacité de se dégager du support et de la régulation de l'environnement pour devenir son propre centre de support et de régulation, en devenant moins dépendant de son environnement.

Frankl (1970) considère que le thérapeute doit s'efforcer de mettre l'accent sur les valeurs et les attitudes. Sa logothérapie a pour tâche «d'élargir le champ des valeurs, de faire voir à la personne la plénitude des possibilités de sens et de valeurs, de lui faire découvrir la totalité du spectre des valeurs». La logothérapie fait appel à la responsabilité de la personne pour trouver et réaliser ses valeurs, elle se veut une «éducation à la responsabilité». Pour Frankl, «l'accomplissement de soi-même et la réalisation de soi-même seront atteints à titre d'effets de l'accomplissement de la signification et de la réalisation des valeurs». L'homme se réalise à travers le sens qu'il donne à sa vie[4].

Maslow définit l'actualisation de soi comme la pleine utilisation des talents, des capacités, des potentialités de la personne. Il a élaboré cinq dimensions de l'actualisation de soi : 1) une dimension culturelle, incluant l'autonomie, la résistance à l'enculturation et l'identification avec l'humanité ; 2) une dimension philosophique qui implique une perception objective de la réalité, le détachement, le sens de l'humour ; 3) une dimension émotionnelle où se retrouvent la spontanéité, la fraîcheur d'appréciation et l'expérience mystique ; 4) une dimension interpersonnelle se traduisant dans l'acceptation, la qualité des relations interpersonnelles et une structure de caractère démocratique ; 5) une dimension intellectuelle qui fait de la personne actualisée un être centré sur le projet ou la tâche de façon altruiste, capable de discriminer entre les moyens et la fin, et capable de créativité.

Malgré ce tableau impressionnant, ces personnes ne sont pas parfaites et sont sujettes à éprouver des conflits, de l'anxiété, de la culpabilité, comme tout être humain. Maslow considère également que le processus d'actualisation de soi implique que la personne ressente

---

4. Le chapitre 2 offre des outils concrets pour s'actualiser à travers le choix de ses valeurs.

pleinement ce qui se passe en elle, que ses décisions et ses choix le soient en direction de sa croissance en découvrant sa véritable nature.

Shostrom (1976) considère que la personne qui s'actualise doit avoir la volonté de vivre les extrêmes de ses sentiments, non seulement les aspects positifs comme l'amour et la force, mais également la colère et la faiblesse. Elle doit être capable d'exprimer tous les degrés des sentiments et des émotions qui l'habitent. Les caractéristiques d'une vie plus riche se retrouvent dans l'authenticité et dans la capacité de faire confiance à son organisme. La personne devient également plus autonome, découvrant sa propre direction. Enfin, la conscience et la liberté constituent deux autres caractéristiques d'une vie pleine.

Shostrom définit l'actualisation de soi comme un processus actif d'être et de devenir, accroissant l'autodirection et l'intégration sur les plans cognitif, émotionnel et comportemental, ou encore comme un processus de croissance à travers un continuel examen et l'expansion de ses propres croyances concernant la vie. Il attribue une place à la responsabilité et à l'apprentissage dans le processus d'actualisation et au choix existentiel détournant de la façade (le paraître) et conduisant vers le «cœur» (l'être).

Ferguson (1981) nomme les personnes en voie d'actualisation «les conspirateurs du Verseau». Elle ne parle pas du processus d'actualisation, elle emploie plutôt l'expression «processus transformatif». Ces conspirateurs du Verseau sont ceux qui ont compris que le changement collectif n'était qu'une conséquence du changement personnel. Le changement de la société passe par le changement de la personne.

Ces personnes font certaines découvertes : la découverte de l'importance du «processus» où le voyage devient la destination ; la vie, expérimentation et exploration ; la découverte de la liberté où la personne connaît la non-dépendance aux objets et aux êtres pour continuer à exister. («Nous sommes libres de créer, de changer, de communiquer, nous sommes libres de demander pourquoi et pourquoi pas.») Elles découvrent que «nous ne sommes pas libérés tant que nous n'avons pas libéré les autres ; en leur donnant la liberté, nous nous libérons nous-mêmes». Elles découvrent la vocation qui est plus une direction qu'un but. «Les conspirateurs notent qu'ils se sentent fortement orientés dans une direction particulière ou vers certaines tâches.» En même temps, ils sont convaincus qu'ils devaient emprunter ces chemins. Ils découvrent la «responsabilité» ou la possibilité de choisir notre mode de participation dans le monde, notre réponse à la vie. Le fait «qu'on ne peut décider personne à changer» constitue une autre découverte plus tardive. Ils découvrent un «réseau de soutien» où les individus ayant les mêmes affinités se regroupent pour partager leurs expériences, ce réseau devenant un véhicule d'autodécouverte. Une découverte subtile consiste en la «transformation de la peur» («si nous explorons nos peurs, elles apparaîtront comme des mines de savoir sur nous-mêmes »; «En découvrant ce qui nous fait peur, il est possible de détruire la logique de nombreuses attitudes et croyances auto-destructrices. »).

Garneau et Larivey (1979) considèrent que la personne qui s'actualise « devient de plus en plus sujet de son existence » en recon-naissant être responsable d'elle-même, de son expression, de sa créa-tivité, de sa capacité d'agir. Elle n'est plus à la merci du destin, mais le maître artisan de sa vie. Elle est davantage vivante par sa capacité à ressentir toute la gamme des émotions, même parmi les plus intenses. Elle est centrée sur le présent et non préoccupée par le passé ou le futur. La personne en croissance apparaît également comme unifiée, récon-ciliant ses contraires, ne cherchant plus à correspondre à ce qu'elle devrait être, à son moi idéal. Elle accepte pleinement d'être ce qu'elle est, à chaque instant.

Tous ces auteurs, en insistant sur certaines dimensions particulières de l'actualisation, apportent une vision complémentaire. Mais il faut constater que les notions d'autodirection (liberté) et de responsabilité ainsi que la capacité de ressentir sont les caractéristiques les plus généralement soulignées. Alors que le processus de socialisation oriente notre façon d'agir, de penser et de sentir dans une direction déterminée par les nécessités sociales, le processus d'actualisation opère un mou-vement inverse en redonnant à la personne sa liberté d'autodirection, en permettant d'élargir son répertoire comportemental et expérientiel dans les directions les plus satisfaisantes. L'actualisation ouvre la porte sur toute la richesse des expériences humaines, ce qui correspond à ce que Maslow appelait « la résistance à l'enculturation » et « l'iden-tification avec l'humanité ». Mais l'élargissement de son répertoire comportemental et expérientiel implique que la personne assume la responsabilité de cette transformation.

C'est hélas à ce niveau de la prise de responsabilité que l'individu se trouve démuni. Comme le fait remarquer St-Arnaud (1982): «L'espèce humaine ne dispose présentement d'aucun environnement socioculturel capable d'assurer simultanément la santé mentale de l'individu et la santé socioculturelle de la collectivité.» Il existe un compromis au niveau de l'adaptation où la santé mentale de l'individu et la santé socioculturelle de la collectivité s'équilibrent en apparence, mais c'est l'individu qui sort perdant de ce compromis. La société, par ses agents de socialisation, est responsable d'une grande partie de l'éducation (socialisation) de l'individu, et cette responsabilité collective se termine une fois la capacité d'adaptation atteinte. Seul l'individu peut prendre la responsabilité de s'actualiser. C'est cette prise de respon-sabilité qui, même à son insu, fait de lui un « conspirateur du Verseau ». En amorçant une transformation intérieure, il favorise une transforma-tion sociale, les modèles sociaux devenant progressivement plus respectueux de la nature humaine. L'adaptation n'est que le premier temps du processus d'humanisation de la personne, l'actualisation en est le second qui peut s'amorcer à l'âge adulte. C'est à cette phase que l'individu redonne à la société des éléments nécessaires à son évolution, comme jadis il reçut d'elle les éléments nécessaires à l'élaboration de sa personnalité.

## La personne humaine : un système complexe supérieur

Il existe une quantité impressionnante de théories de la personnalité. Il est possible toutefois de comprendre le mode de fonctionnement de notre personnalité sans nous référer à aucune théorie spécifique, en portant simplement notre attention sur ses composantes.

La personnalité est constituée de plusieurs composantes comme les valeurs, les attitudes, les besoins, le concept de soi, etc. Ces différentes composantes interagissent pour assurer un bon fonctionnement de toute la personnalité, celle-ci étant plus que la simple addition de ses composantes. La personnalité peut être considérée comme un système global par rapport à ses composantes qui deviennent des sous-systèmes. La littérature psychologique utilise des expressions comme : système psychosexuel, système psychoreprésentatif, système attitudinel, système axiologique, système cognitif, etc., pour désigner les divers sous-systèmes qui composent le système global de la personnalité.

La personnalité peut être abordée par le biais d'un système, de même que le monde médical perçoit l'organisme comme un ensemble de sous-systèmes : système nerveux, système digestif, système cardiovasculaire, etc., chacun des sous-systèmes fonctionnant en étroite collaboration pour assurer la bonne marche de tout l'organisme.

La théorie des systèmes s'applique bien au mode de fonctionnement de la personnalité. Il devient donc possible d'aborder le fonctionnement de la personnalité comme le fonctionnement d'un système vivant et ouvert à son environnement, c'est-à-dire un système capable d'échanger des matériaux, de l'énergie et de l'information avec le monde extérieur. La personne, qui est en quelque sorte la personnalité en chair et en os, est également considérée comme un système vivant et ouvert. Il est donc intéressant de s'interroger sur le mode de fonctionnement de ces systèmes complexes, et surtout de se questionner sur les capacités optimales de tels systèmes.

En se basant sur les définitions de plusieurs auteurs, il est possible de dégager huit caractéristiques d'un système vivant et ouvert. Un système apparaît comme :

- une totalité
- organisée en structure
- formée par un ensemble d'éléments

- en interaction dynamique interne
- et en interaction dynamique avec l'environnement
- qui assure des fonctions
- capable d'atteindre des buts
- et d'évoluer dans le temps.

La personne humaine correspond bien à ces caractéristiques. Le système total de la personnalité est composé de plusieurs sous-systèmes structurés (concept de soi, valeurs, etc.), eux-mêmes composés d'éléments (les différents contenus du concept de soi, les différentes valeurs, etc.) en interaction interne comme en interaction avec l'environnement, qui assurent des fonctions de coordination en orientant nos perceptions et nos comportements. La personne humaine est évidemment capable de poursuivre des buts et d'évoluer dans le temps.

La personne humaine, en tant que système complexe, est capable de fonctions supérieures d'actualisation, permettant à son potentiel de se manifester concrètement dans ses interactions avec l'environnement.

Grâce à sa fonction de design[5], la personne peut inventer, créer de nouveaux modèles intérieurs (croyances, valeurs, etc.). La fonction de design repose sur la capacité d'imagination créatrice. La fonction de gestion[6], quant à elle, joue un rôle complémentaire en rendant possible un choix parmi toutes ces nouvelles créations. La fonction de gestion permet de choisir une direction ou un but précis et de mettre en œuvre les moyens qui favoriseront l'atteinte du but fixé. La fonction de gestion repose sur la capacité d'autodirection.

Cette possibilité d'autogestion caractérise bien les systèmes ouverts «essentiellement ceux qui sont capables de construire (...) sous certaines contraintes, leurs propres projets d'intervention sur un environnement» (Le Moigne), un tel système définissant «son idéal de stabilité non par l'invariance de sa structure, mais par la satisfaction permanente de ses projets» (Le Moigne).

Bien des machines se caractérisent par leur haut niveau de complexité, mais seul l'homme possède la faculté d'imaginer (design) et de faire des choix en fonction de ses propres valeurs et objectifs

---

5. Le design est «l'activité qui consiste à imaginer des modèles de système ou d'éléments dans le but pour l'homme d'ajouter à sa dimension de conscience de nouvelles connaissances dites subjectives».

Charest

6. La gestion est «l'activité qui consiste à faire des choix de valeurs, de fonctions, de systèmes et de moments, choix qui, instantanément, modifient la dimension de conscience du gestionnaire dans le sens suivant: avant le choix, il envisageait dans sa conscience plusieurs possibilités, après le choix, sa conscience est surtout engagée par la possibilité choisie».

Charest

(gestion). Peu d'hommes acceptent cependant la responsabilité de ce pouvoir d'autodirection. Dans la hiérarchie des systèmes supérieurs, « le système peut se fixer lui-même ses propres objectifs, il acquiert la liberté et devient dès lors autodirectionnel. L'homme ou plutôt certains hommes ont atteint seuls ce niveau parmi les systèmes vivants » (Durand).

L'homme est paradoxalement le système le plus complexe et le plus perfectionné des systèmes vivants, mais celui qui semble le moins aspirer à fonctionner pleinement. Le Moigne a proposé une typologie hiérarchique des systèmes à neuf niveaux, dont les derniers niveaux caractérisent le niveau proprement humain :

« Le huitième niveau est celui de l'émergence de l'imagination ou de l'intelligence. On peut définir cette imagination comme "une capacité à gérer de l'information symbolique". Dès lors, le nouveau système peut s'organiser, se complexifier par un processus purement interne d'auto-organisation ou à travers des mécanismes abstraits d'apprentissage et d'invention. On est entré à l'évidence dans le domaine de l'humain, des organisations et des sociétés. »

« Le neuvième et dernier niveau est celui de l'autofinalisation dans lequel l'homme, puisqu'il ne peut s'agir que de lui, se fixe sa propre finalité, ses propres objectifs. Ce niveau est celui de l'émergence de la conscience, de l'intentionnalité ; en fait, une grande partie de l'humanité ne l'a pas encore atteint, soit que les contraintes matérielles soient trop fortes pour donner un sens réel au besoin de liberté, soit que l'homme qui en aurait les moyens n'éprouve pas l'aspiration à organiser lui-même son propre devenir. »

Durand

L'homme est donc un système à apprentissage qui lui permet non seulement de s'adapter aux conditions de l'environnement, mais de s'organiser par essais et erreurs. « Grâce aux essais au hasard du contrôleur-chef, les décisions efficaces dans un contexte donné sont renforcées, les décisions inefficaces, affaiblies. » C'est le centre d'imagination qui constitue la nouveauté essentielle de ce type de système « qui engendre des actions possibles sous l'effet de perturbations extérieures ou intérieures du système » (Lesourne).

Ainsi, le système peut se complexifier (se développer), non seulement en réponse à l'environnement, mais peut changer par lui-même, grâce à son centre d'imagination, sans qu'il y ait nécessairement stimulation de l'environnement. Il s'agit donc d'une faculté supérieure à celle de l'adaptation qui se veut une réaction du système à une variation de l'environnement. Les organismes vivants, par contraste avec les machines, peuvent être principalement actifs au lieu d'être simplement réactifs ; au lieu de s'adapter passivement à l'environnement, ils sont créateurs de nouveaux schèmes de structure et de comportement

(Koestler). Le système s'organise grâce à ce centre d'imagination qui engendre des solutions (nouveaux comportements, nouvelles façons d'expression, nouveaux moyens de satisfaction des besoins d'apprentissage, etc.), l'environnement lui renvoyant des «succès» ou des «erreurs» que sa mémoire intègre.

L'auto-organisation débouche finalement sur la recherche autonome ; le centre d'imagination cherchant en permanence de nouvelles combinaisons d'objectifs à atteindre. Le système humain est un système potentiellement conçu pour se complexifier et se perfectionner à l'infini.

Malheureusement, à cause d'une non-utilisation ou d'une sous-utilisation de ses fonctions supérieures d'actualisation, la personne demeure en deçà de ses possibilités créatrices.

Par son incapacité à assumer sa fonction de gestion, la personne renonce au choix de sa propre direction existentielle, à ses capacités d'autodirection. Si elle n'active pas sa fonction de design, faisant alors appel à son imagination créatrice, elle se retrouve incapable de créer les moyens ou de développer les stratégies nécessaires à la réalisation de ses projets existentiels.

La personne humaine est un supersystème à buts, c'est-à-dire conçu pour atteindre les buts fixés. S'il n'est pas constamment nourri en buts, en projets existentiels, en objectifs, il fonctionne à un niveau stationnaire. L'évolution s'efface pour ne laisser place qu'au maintien du système. Le système n'évolue que dans la mesure où de nouveaux buts ou objectifs lui sont confiés. En l'absence totale de buts, le système se désorganise et, pour la personne, c'est la névrose existentielle, le sentiment de futilité, de vide intérieur que fait surgir l'absence de sens à la vie. Le système humain est conçu pour créer, et son carburant est la recherche de nouveaux projets existentiels à réaliser.

Plus les buts et les projets sont choisis par le système lui-même, mieux ils sont susceptibles de favoriser l'évolution, c'est-à-dire la manifestation concrète des potentialités du système. L'actualisateur qui se fixe de nouveaux projets existentiels peut dépasser le stade de l'adaptation grâce à sa faculté d'autodirection existentielle.

Ainsi, l'adaptation et l'actualisation ne sont pas deux modes de croissance opposés, mais complémentaires. Notre organisme est conçu pour se perfectionner à l'infini, et le plus souvent notre croissance s'arrête au palier de l'adaptation, stade de développement nécessaire et exigé par la société.

«Les croyances individuelles et culturelles concernant les potentialités réelles de l'être humain ont un puissant effet restrictif, et la potentialité réelle de l'être humain est bien plus grande, dans de nombreuses dimensions, qu'on ne le conçoit ordinairement.»

Harman

Une approche de la personne par le biais de la théorie des systèmes nous conduit à une nouvelle vision de son mode de fonctionnement. Que la théorie des systèmes nous amène à parler de gestion ou de design comme un mode de fonctionnement existentiel optimal, ce sont des mots différents pour exprimer la même réalité que d'autres chercheurs ont étudiée sous un angle différent. Déjà, nous avons vu les expressions « autodirection » (Rogers, Shostrom), « responsabilité » (Frankl, Perls), « propre centre de support et de régulation » (Perls), « décision et choix en direction de sa croissance » (Maslow), « possibilité de choisir notre mode de participation dans le monde » (Ferguson). Ce sont là, exprimées sous un angle plus psychologique, ces mêmes fonctions supérieures d'actualisation. La personne humaine est dotée de tout ce qu'il lui faut pour s'autodiriger et s'autoorganiser, non pas sans les autres, mais avec les autres.

La personne humaine est un système vivant, à l'apprentissage continu, conçu pour apprendre à apprendre. Mais cette capacité demeure sous-développée, et elle le demeurera tant et aussi longtemps que la responsabilité face à sa croissance ne sera pas assumée. L'adulte que nous sommes est face à ce défi d'assumer son pouvoir d'auto-développement.

## Réflexion personnelle

*Je suis potentiellement conçu
pour me développer à l'infini ;
que signifie pour moi assumer ma
liberté d'autodéveloppement ?*

# DEUXIÈME PARTIE

# Vivre avec conscience

«Le chemin qui mène à la Conscience du Soi commence avec la connaissance de soi, du petit soi. (...) Le chemin commence avec l'amour intelligent de soi-même, un amour intelligent de son propre ego, et ensuite l'ego est dépassé.»

A. Desjardins

# CHAPITRE 2

# Nos guides intérieurs : les peurs, les valeurs, les besoins

*« Ce qui commence,*
*c'est la peur.*
*La peur et l'enfant*
*naissent ensemble et*
*ne se quitteront jamais.*
*La peur,*
*compagne secrète,*
*discrète comme l'ombre*
*et, comme elle, fidèle, obstinée.*
*La peur*
*qui ne nous lâchera qu'à la tombe*
*où fidèlement*
*elle nous aura mené. »*

F. Leboyer

Pourquoi parler de la peur ? Sans doute parce que, comme le signale le docteur Leboyer, elle nous accompagne dès le premier jour, mais surtout parce que la peur fait partie intégrante du processus d'autodéveloppement. Évoluer implique le passage continuel du connu vers l'inconnu. Or, quitter la sécurité du connu pour s'ouvrir aux risques de l'inconnu comporte nécessairement la rencontre avec ses peurs.

En effet, quotidiennement dans nos vies, nous sommes confrontés à la présence de la peur : peur des émotions, peur de la mort, peur du rejet, de l'abandon, du jugement, de ne pas être aimés, peur de la solitude, du ridicule, de la folie, du changement, peur des autres, des foules, etc. Très souvent, toutes ces peurs aux formes variées ne sont qu'une facette de la peur de soi-même (des éléments non acceptés en soi).

La peur pétrifie, paralyse, enlise. Chacun apprend soigneusement à éviter systématiquement les événements et les personnes qui éveillent en lui les symptômes de la peur : le cœur palpite, la sueur perle sur le front, le souffle devient court, les mains sont moites et froides, une tension contracte la poitrine et l'abdomen, et l'énergie nous manque. Chacun apprend à percevoir la peur comme un stoppeur de son action. La peur, c'est la barrière qui nous empêche d'aller là où nous serions heureux d'aller, c'est notre geôlier intérieur. Mais utiliser sagement cette peur, c'est découvrir que la clé de notre prison intérieure est toujours restée dans la serrure.

Demeurer à l'abri derrière ses barreaux intérieurs possède un grand avantage : celui de ne pas avoir à accepter la responsabilité de sa liberté. N'est-il pas angoissant de sortir de soi après une réclusion de plus de vingt ans, où ce sont les événements, le bon vouloir des autres, qui ont joué les rôles dominants dans notre vie de reclus ? Qui, après plus de vingt ans passés à l'ombre, est prêt à accepter la responsabilité d'être le directeur de sa vie ? N'est-il pas préférable de continuer à vivre en prisonnier ? D'ailleurs, n'avons-nous pas été façonnés pour être des prisonniers existentiels ?

L'être libre accepte les conséquences de ses actes, mais sommes-nous bien préparés à cette responsabilité ? La prise d'initiative était souvent récompensée par la punition. Nous avons appris très souvent à rester tranquille plutôt que de tenter de nouvelles expériences. Ainsi, nous apprenons tôt à fuir la liberté parce que nos maîtres ont appris eux aussi à en avoir peur.

> «La liberté est une virtualité redoutable devant laquelle nous reculons. Pour nous protéger, nous dressons des tabous, des garde-fous collectifs pour nous éviter de choisir librement. Nous préférons agir avec un confortable conformisme à l'intérieur des limites qui sont autorisées par la société avec notre tacite approbation.»
>
> T. Molmar

Nous avons appris à avoir peur des émotions «non acceptables» en ne les ressentant pas, peur aussi des actes contraires à ce qu'avaient décidé nos juges parentaux, détenteurs du pouvoir de répression nécessaire à notre soumission. Aujourd'hui, ces juges sociaux ne sont plus au-dessus de nos têtes pour nous rappeler le «droit chemin». Nos peurs intérieures sont encore plus efficaces à nous confiner à l'intérieur des limites existentielles parce qu'elles sont en nous et qu'il est impossible d'y échapper. Par contre, il est possible d'apprendre à les utiliser comme des alliées de croissance qui nous guident vers la liberté, au lieu de les sentir comme des chaînes. Nos peurs sont comme des barrages d'énergie. La tension qui monte, les symptômes qui se manifestent sont l'indice que quelque chose cherche à sortir de soi, à s'exprimer. Derrière la peur cherche à naître le pouvoir d'être.

Nos peurs nous empêchent de faire naufrage dans la liberté. De toute façon, elles nous entraînent inexorablement à faire naufrage dans l'impuissance d'être si nous n'apprenons pas à les utiliser comme des alliées de croissance. Nous pouvons donc faire naufrage dans deux directions différentes, selon l'attitude que nous adoptons face à nos peurs : une attitude d'évitement ou une attitude d'acceptation et d'apprivoisement. Dans l'évitement, la peur devient un « stop-peur » de nos énergies d'actualisation ; l'acte libérateur meurt dans l'œuf. Dans l'apprivoisement, la peur se fait « va-peur » qui alimente notre croissance.

Regarde en toi, regarde tes peurs.
Ne les fuis pas.
Elles te disent où tu dois aller.
Elles te renseignent sur tes limites.
La connaissance de soi
passe par la connaissance de ses peurs,
et, derrière chaque peur transcendée,
se révèle un nouveau visage de toi-même.

Ne cours pas après la peur,
n'en fais pas un défi à surmonter,
une occasion de prouver ton courage.
Laisse-la simplement venir en toi,
car elle viendra tôt ou tard.
Accueille-la peu à peu en toi,
apprivoise-la en douceur
pour avancer lentement vers elle.

Ne cache pas ta peur
au regard de ton semblable,
car elle est digne d'être montrée,
et ne crains pas d'avoir peur,
car la peur est ta compagne
de toute ta vie ;
elle est un guide sur le Sentier
que tu dois défricher.

Peu à peu, la peur devenue ton amie
se fait moins violente à ton égard,
elle ne t'envahit plus pour te terrasser
et t'écraser en voulant s'imposer à tout prix.
Lui ayant laissé une place en toi,
elle se fait discrète
et fidèle compagne de tes pas.
Elle ne fait que diriger doucement
ton regard sur tes limites,
tes déficiences, tes impuissances à être
pour que tu puisses en prendre conscience,
et avancer lentement vers elles pour les surmonter.

Ton amie, la peur
s'est faite l'alliée de ton devenir,
qui te permet toujours d'aller
là où tu dois aller.
Tu as appris que la peur était meurtrière,
elle est en réalité lumière
qui ne fait que dénoncer les ombres
qui t'habitent à ton insu.

Nous avons le choix de maintenir une attitude d'évitement face aux expériences qui sont source de peur. Mais il existe une autre avenue : faire de nos peurs, non des stoppeurs, mais des guides de croissance. Les situations anxiogènes sont alors interprétées comme des directions à explorer, riches en découvertes.

La peur peut représenter la pointe de l'iceberg en dessous de laquelle de nombreux facteurs inconscients et conflictuels orientent nos comportements, de façon peu satisfaisante. Faire la lumière sur ses peurs est un premier pas vers l'éclaircissement de son « sous-sol » intérieur. C'est à chacun de déterminer ce qui est le mieux pour lui : une stratégie d'évitement, lui assurant la tranquillité et la sécurité, mais au détriment de la satisfaction de certains besoins fondamentaux, ou une stratégie d'apprivoisement, le conduisant à ressentir l'anxiété de l'affrontement, mais qui débouche souvent sur l'apprentissage d'un nouveau comportement plus satisfaisant, facteur de croissance pour la personne.

## La libération de soi est une question de choix.

Dans le but de favoriser ce choix, je vous propose ce petit exercice de réflexion ; il s'agit de compléter les deux énoncés qui suivent :

1. Dans ma vie ou mes relations avec les autres, j'évite, j'ai peur ou je redoute :
   - _____
   - _____
   - _____
   - _____
   - _____

2. Dans ma vie ou mes relations avec les autres, je recherche, j'aspire :
   - _____
   - _____
   - _____
   - _____
   - _____

Ce qui fait peur vous condamne-t-il à ne jamais atteindre ce que vous recherchez ?

« Nous pouvons choisir d'agir malgré notre peur et de faire un pas vers la liberté ou de respecter notre peur et de la laisser déterminer l'étendue de notre liberté. »

J. Simons

## LA FICELLE DE LA VIE

La vie est une ficelle pleine de nœuds, il faut la dénouer pour lui donner toute sa longueur...

La ficelle de la vie est le chemin de la vie ; les nœuds sont les montagnes qui sont difficiles à franchir et que l'on choisit souvent de contourner malgré les longs détours.

De toutes les façons possibles, le chemin de la vie doit être parcouru, du premier jour jusqu'au dernier.

Escalader les montagnes ou les contourner n'est pas l'essentiel. L'important est de savoir où elles sont, de les escalader ou de les contourner, mais en toute conscience. L'erreur consiste à vouloir escalader une plaine, et à marcher en montagne comme en terrain plat; c'est croire qu'on escalade, quand on contourne...

L'important est d'escalader ou de contourner en toute conscience.

On aborde d'abord le chemin de la vie en contournant les montagnes en disant: « Elles sont trop hautes. » Mais il serait plus juste de dire: « Les montagnes me font peur. » La montagne n'est pas trop haute, elle est ce qu'elle est; c'est la peur qui la rend trop haute. L'erreur consiste à voir la hauteur de la montagne sans voir sa propre peur qui la rend si haute.

De toutes les façons, le chemin de la vie doit être parcouru, en contournant ou en escaladant les montagnes, mais en toute conscience. Et, si le chemin est parcouru en toute conscience, arrive un jour où l'enfant en nous meurt et donne naissance à l'adulte qui sait aussi bien escalader les monts que marcher dans la plaine. Les montagnes sont toujours les montagnes, mais la peur de la montagne a été vue en toute conscience.

La véritable montagne à escalader avait toujours été la peur de la montagne en soi...

## DERRIÈRE LA PEUR...

Tout en me promenant sur le Chemin, j'ai ouvert en moi un grand livre: le grand livre de la peur. Le premier chapitre débutait ainsi :

Si ta peur est un « stop-peur » de ta liberté, cesse de lui tourner le dos et marche vers elle. Cette peur qui te fait fuir les situations « interdites » est en réalité une peur-guide qui t'indique précisément la direction à suivre pour étendre le champ de ta liberté. Elle t'indique la route vers toi-même, car le chemin de la connaissance et de la conscience de soi passe par la connaissance de ses peurs.

Derrière la peur se cache la liberté; marcher vers l'une, c'est inévitablement aller à la rencontre de l'autre.

Tout en continuant ma route sur le chemin, j'ai croisé la peur de mon semblable qui possède le pouvoir de me juger et de m'abandonner à ma solitude.

Je me souviens de cette peur aux tripes ressentie pendant des jours face à la décision de dire l'indisable, de révéler l'inacceptable, de vivre mon « mal-à-dire ». Cette peur que je vivais comme suicidaire, convaincu de courir à ma propre perte. J'allais m'ouvrir pour ensuite mourir à une relation qui était source de vie.

Et quelque chose est effectivement mort en moi : mon paraître, ma façade, mon armure. Mon « moi-public » laissait place à mon « moi-privé ». L'être l'emportait sur le paraître. J'apprenais à vivre avec autrui au lieu de vivre en fonction d'autrui. Ayant choisi de tout perdre au nom de ce que j'étais vraiment, je retrouvais ma liberté d'être en me libérant de la peur de ne pas être aimé. Derrière la peur attendait toujours la liberté.

Il y a bien d'autres merveilleux chapitres à ce livre intérieur, chapitres à vivre et non simplement à lire, mais la conclusion le résume fort bien :

Derrière la peur se cache la liberté !

## Les valeurs et les besoins

L'autodéveloppement repose sur la capacité d'agir en direction de notre croissance. Se laisser guider par nos peurs devient une façon de s'auto-diriger vers une plus grande liberté. De même, nous verrons que clarifier et réaliser nos valeurs favoriseront notre autodirection existentielle tout en nous permettant d'agir pour la satisfaction de nos besoins.

Une valeur peut désigner tout objet, concret ou abstrait, interne ou externe à soi que l'on considère comme important. Elle oriente nos comportements et nos décisions dans une direction considérée comme désirable et souhaitable. Une valeur peut donc servir de guide de crois-sance une fois qu'elle a été bien définie, et une façon simple de la définir consiste à se demander ce qui est important pour soi, ce qui est désirable ou souhaitable. Ainsi, une voiture, l'amour, une fleur, l'égalité, une personne, la vérité, un chien peuvent représenter pour la personne un objet de valeur. Une valeur peut être de l'ordre du monde concret, physique, comme de l'ordre du monde abstrait ou métaphysique.

Dans notre culture où dominent les valeurs matérielles, il est fréquent de rencontrer des gens en pénurie de valeurs abstraites qui donnent un sens à leur vie. Pour certaines personnes, leur seul sens existentiel consiste à travailler pour payer leurs comptes et répondre aux exigences familiales et sociales. En dehors de la nécessité existentielle, rien ne les anime et leur vie est vide de sens.

Frankl parlait de la « névrose du dimanche » pour désigner cette névrose existentielle qui envahit la personne dès qu'elle reste seule avec elle-même. Tant que les nécessités sociales l'occupent, les choses vont relativement bien, car son temps est organisé par la routine. Mais, durant les week-ends, « la névrose du dimanche » surgit, plongeant la personne dans son vide existentiel.

La clarification de ses valeurs personnelles et leur réalisation constituent un chemin privilégié du processus d'autodéveloppement, en permettant de mieux définir son sens à la vie. La valeur représente un but possible à réaliser. Pour assumer pleinement sa fonction supérieure d'autodirection, il faut évidemment être capable de choisir sa propre direction existentielle. Le processus de clarification de ses valeurs fait justement appel à cette capacité de choisir ses propres projets existentiels.

Notre éducation nous a légué une bonne quantité de valeurs, mais nous n'avons pas choisi consciemment cette direction existentielle. Ces valeurs sont des valeurs préférences que nous acceptons sans trop les remettre en question parce qu'elles reposent sur un consensus social. Mais il existe une autre catégorie de valeurs qui nécessite un choix conscient et volontaire : les valeurs références auxquelles nous nous référons pour guider nos conduites.

Voyons les principales distinctions entre les deux catégories de valeurs.

## LA VALEUR PRÉFÉRENCE

- Elle revêt une faible ou moyenne importance.
- Cette importance est généralement insuffisante pour engager la personne dans un processus de réalisation de cette valeur si des obstacles sont présents, la personne adhérant à cette valeur plutôt passivement (réalisation par habitude).
- Elle est souvent de l'ordre du discours, laissant place à l'incohérence entre le dire et l'agir.
- Elle découle principalement de l'éducation et des conditionnements sociaux qui ont été acceptés et intégrés.
- Son nombre peut être assez grand.

## LA VALEUR RÉFÉRENCE

- Elle revêt une importance considérable.
- Cette importance est suffisante pour susciter un engagement et une implication dans des actes concrets de réalisation de cette valeur.
- Elle est plus exigeante que la valeur préférence, puisqu'elle demande la fidélité à cette valeur. Elle exige donc la cohérence entre le dire et l'agir, l'intention et l'action.
- Elle est librement choisie par la personne, ce qui implique que celle-ci connaît et accepte les conséquences de son choix et qu'elle assume donc la responsabilité des actes engagés dans la réalisation de cette valeur.
- Elle peut donner un sens à la vie, une direction existentielle.
- Elle s'intègre profondément à la personnalité.
- Elle doit être suffisamment clarifiée pour que la personne connaisse et puisse mettre en œuvre les attitudes et les comportements qui permettent sa réalisation concrète dans la vie quotidienne.
- Son nombre est limité.

Nous voyons que ces niveaux de valeurs diffèrent quant à leur origine : les valeurs préférences correspondent aux valeurs reçues, les valeurs références, aux valeurs choisies. Il existe plusieurs méthodes de clarification de ses valeurs. Il est possible d'opter pour la voie rationnelle, introspective, analytique, nécessitant la réflexion, l'auto-observation. Mais, à cette étape du processus de clarification des valeurs personnelles, je vous propose une activité qui fait plutôt appel à l'hémisphère droit du cerveau, soit l'aspect imaginatif, intuitif, sensitif.

## LE TESTAMENT PHILOSOPHIQUE

Vous êtes un des grands philosophes de notre époque et vous êtes reconnu pour votre très grande sagesse et votre simplicité. Au crépuscule de votre vie, vous sentez la mort approcher à grands pas et, avant de quitter cette terre, vous sentez le besoin de livrer un dernier message qui, croyez-vous, pourra aider vos semblables à faire un pas dans leur chemin vers la lumière. Partagez avec eux vos croyances, votre vérité personnelle, ce qui est important pour vous, là où vous êtes rendu.

Imaginez le plus concrètement possible que vous êtes ce philosophe et, soudainement, avant de vous mettre à l'œuvre, une voix intérieure s'adresse à vous pour guider votre cœur :

« Écoute,
écoute attentivement ceci :
fais de ton dernier message le plus beau de ta vie ;
ne te contente pas de bien dire les choses,
mais fais que ce soit ton cœur qui les crie pour imprégner
le cœur de tous,
afin que tes paroles restent en eux
et continuent de vivre à travers eux.
Laisse ton cœur conduire ta main
pour que chaque mot porte ton message
dans le silence du cœur qui le reçoit. »

Plus on est habité par ce personnage, plus on mobilise notre faculté d'imagination qui possède le don de révéler des facettes cachées en soi. Nous pouvons ainsi découvrir et clarifier des valeurs profondes plus ou moins conceptualisées.

Après avoir écrit votre testament philosophique, vous devez faire l'analyse des valeurs ou des croyances qu'il renferme. Dressez-en une liste par ordre d'importance. La valeur qui revêt la plus grande importance pour vous deviendra votre valeur référence. Ainsi, dans le testament philosophique suivant, l'authenticité a été choisie comme valeur référence.

Ne cache pas ce qui est en toi.
Laisse jaillir ta lumière
qui éclaire autrui.
Applique-toi à perdre tes illusions.
Quand tu auras tout perdu,
tu seras léger comme l'oiseau,
fluide comme l'eau,
libre d'aller là où tu dois aller.

Apprends à vivre avec ta solitude,
elle te conduira à toi et à l'autre.
Écoute la vie en toi,
et laisse-la s'exprimer
telle la source qui ruisselle vers l'océan.

N'oublie jamais que tu es mortel
pour te rappeler le droit de vivre ta vie.
N'attends rien d'autrui,
il n'est pas là pour combler ton vide.
Aime-le pour ce qu'il est
et non pour ce qu'il te procure.
Regarde en lui,
car il est la porte pour accéder
à toi-même.
Apprends à te donner,
tu seras toujours plein de toi-même.

Fais le choix de tes valeurs
et restes-y fidèle,
jusqu'à ce qu'elles te conduisent
à ce que tu dois connaître et vivre.

La valeur n'est pas valeur en soi,
elle est valeur pour toi,
grâce au chemin
qu'elle te fait parcourir
dans ton effort pour la réaliser.

Ne cherche pas l'amour,
il viendra de lui-même,
car l'amour est ouverture.
Ouvre-toi, tu verras.
Crois en toi
et tu découvriras le transcendant.

Sois le directeur de ton existence
et marche sur ton chemin,
non dans l'espoir d'atteindre sa fin
mais dans la joie du pas accompli.
Et un jour nous nous rejoindrons
là où nous devons tous aller,
vers notre infini...

Testament philosophique
octobre 1982

Une valeur peut nous aider à nous orienter dans l'existence. Grâce à une première étape de clarification de nos valeurs, nous prenons le temps de faire le point vers ce qui est important pour nous. C'est une occasion de remettre en question certaines valeurs léguées par notre éducation et d'en découvrir de nouvelles. Cette phase de clarification doit être suivie d'une phase de réalisation de ses valeurs qui implique nécessairement l'action dans son milieu.

Voici une façon concrète de se préparer à vivre ses valeurs dans sa vie quotidienne.

## La réalisation d'une valeur référence

LA VALEUR RÉFÉRENCE :_____

1. Identification de trois occasions où il est possible de vivre, d'exprimer cette valeur :

   _____

   _____

   _____

2. Identification des attitudes et des comportements, des stratégies permettant la réalisation de cette valeur :

   _____

   _____

   _____

3. Identification des obstacles, des peurs, des craintes qui pourraient rendre difficile la réalisation de cette valeur :

   _____

   _____

   _____

Certes, il n'est pas toujours facile de vivre sa valeur dans des situations concrètes, mais c'est là que la notion de valeur RÉFÉRENCE prend toute son importance. En cas d'ambivalence, de doute, d'incertitude, il est toujours possible de se RÉFÉRER à sa valeur pour décider du comportement à adopter. La valeur référence devient un critère de choix pour décider des comportements à adopter.

Prenons une personne qui souffre d'un complexe d'infériorité, qui doute de sa valeur personnelle et qui ne se sent jamais à la hauteur. Elle a choisi comme valeur référence l'affirmation de soi. Elle sait que c'est en exprimant ce qu'elle ressent, et en ne se laissant plus dominer sans dire un mot, qu'elle peut le mieux vivre cette valeur référence. Elle sait également qu'elle peut vivre cette valeur avec un collègue de bureau qui, sans aucune autorité supérieure, se comporte comme s'il était son patron, ne se gênant pas pour lui refiler les « mauvais » dossiers ou pour lui donner des ordres. Cette situation rend, bien sûr, notre complexé agressif; une agressivité qu'il n'exprime évidemment pas.

Il sait qu'il doit informer son collègue de ses sentiments et il est très conscient d'être ambivalent. Il hésite, trouve toutes les bonnes raisons pour ne pas lui dire; il se dit que, dans le fond, il est vraiment inférieur et qu'il n'a que ce qu'il mérite. Mais comme il a déjà fait un choix antérieurement, celui de s'affirmer, son indécision ne tient plus, et s'il reste fidèle à sa valeur d'assertion de soi, il doit agir dans cette direction. Ainsi, il prend le risque d'être ridiculisé et infériorisé, mais ce n'est pas nécessairement le cas et, de toute façon, s'il n'agit pas, il se sentira toujours inférieur.

La fidélité à sa valeur référence, quels que soient les obstacles, vient briser certains mécanismes de défense ou certaines croyances autolimitatives souvent inconscientes qui, jusque-là, laissaient la personne dans un statu quo frustrant. Vivre ses valeurs références conduit progressivement à modifier ses attitudes, ses comportements et son image de soi.

Il existe encore d'autres conséquences au processus de clarification et de réalisation de ses valeurs, notamment celle de permettre un processus de hiérarchisation de ses valeurs et de ses besoins.

## La hiérarchie des valeurs et des besoins

Maslow considérait cinq niveaux de besoins: physiologiques, de sécurité, d'appartenance, d'amour et d'estime, et d'actualisation, incluant les besoins esthétiques et de clarification cognitive. Pour qu'une personne puisse ressentir ses besoins d'actualisation, il est nécessaire qu'elle puisse satisfaire les besoins de niveau inférieur, non pas que ces besoins n'existent plus ou soient satisfaits à tout jamais, mais ils n'accaparent pas toute l'énergie de la personne. On comprend qu'une personne qui doit lutter pour sa survie est moins disponible pour ressentir et satisfaire ses besoins d'actualisation.

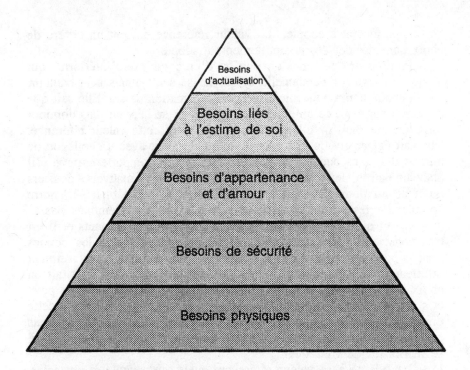

Il est parfois difficile de distinguer les valeurs et les besoins. Maslow a bien perçu leur interrelation. Il a proposé deux catégories de valeurs : les valeurs d'être, reliées aux besoins de croissance, et les valeurs de déficience, qui reposent sur une motivation à combler des besoins perçus comme un manque. Plus les valeurs sont supérieures et orientées vers la croissance, plus celles-ci ressemblent à des besoins. Maslow a même appelé ces valeurs d'être, des «méta-besoins», valeurs qui donnent souvent un sens à la vie.

Or, parler de valeurs d'être ou de méta-besoins orientés vers la croissance et de valeurs de déficience qui cherchent à combler un manque, suggère qu'il existe une hiérarchie des valeurs qui donne un indice sur le degré de développement qu'atteint une personne.

> «La psychologie existentielle et humaniste postule une certaine diffé-renciation et hiérarchisation entre les valeurs dans le continuum développemental de la personnalité. À ces valeurs viennent se rattacher certaines motivations de niveaux différents, de telle sorte que les comportements extérieurs de la personne révèlent dans la réalité sociale et environnementale le niveau d'intégration des valeurs de l'individu.»
>
> Joshi

Ainsi, la personne actualisée ayant atteint un haut niveau de développement possède des valeurs différentes d'une personne qui a un faible niveau de développement.

Certaines recherches (De Grâce) tendent à démontrer que les personnes d'un haut niveau de développement se caractérisent par des valeurs esthétiques, ces personnes étant plus influencées par le beau et les expériences gratuites que les personnes moins actualisées, qui se caractérisent par les valeurs économiques, centrées sur le matériel, le fonctionnel et l'utilitaire.

Il existe donc une hiérarchie des valeurs, liée à une hiérarchie des besoins, hiérarchie valeur-besoin qui correspond également à une hiérarchie dans les stades de croissance que connaît une personne.

Yves St-Arnaud, dans son livre *Devenir autonome*, propose une autre hiérarchie des besoins fondamentaux qui permet une excellente compréhension des motivations humaines. Il distingue trois niveaux de besoins. Le premier niveau de l'autoconservation est centré sur la satisfaction des besoins physiques et sur la recherche de la sécurité matérielle. Ces besoins de base suffisamment satisfaits faciliteront l'émergence des besoins liés à l'affirmation de soi. Ce deuxième niveau est centré sur la sécurité psychologique et affective. L'individu acquiert une meilleure estime de lui-même, un sentiment de valeur personnelle qui l'amène à se considérer comme une personne digne d'amour et de respect. Enfin, un troisième niveau, l'autotranscendance, où l'individu, après s'être centré suffisamment sur la satisfaction de ses besoins, commence à se centrer sur l'autre. Le « moi d'abord » cède peu à peu la place au « toi d'abord ». La personne découvre des centres d'intérêt autres qu'elle-même, lui permettant de s'investir et de s'actualiser en dépassant son égoïsme et son égocentrisme.

Inspirée de la hiérarchie des besoins proposée par St-Arnaud, voici une adaptation pyramidale illustrant les différents niveaux de besoins. Ceux-ci sont hiérarchiques, c'est-à-dire que la satisfaction des besoins du premier niveau favorise le passage au second niveau, et ainsi de suite.

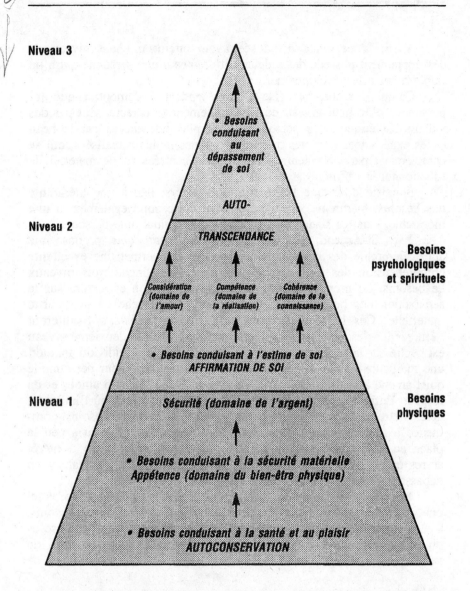

**Niveau 3**

• *Besoins conduisant au dépassement de soi*

AUTO-

**Niveau 2**

TRANSCENDANCE

**Besoins psychologiques et spirituels**

*Considération (domaine de l'amour)*    *Compétence (domaine de la réalisation)*    *Cohérence (domaine de la connaissance)*

• *Besoins conduisant à l'estime de soi*
*AFFIRMATION DE SOI*

**Niveau 1**    *Sécurité (domaine de l'argent)*    **Besoins physiques**

• *Besoins conduisant à la sécurité matérielle*
*Appétence (domaine du bien-être physique)*

• *Besoins conduisant à la santé et au plaisir*
*AUTOCONSERVATION*

Attardons-nous aux besoins des niveaux 2 et 3, et voyons comment ces mêmes besoins peuvent être vécus sous des formes différentes selon qu'ils sont vécus principalement pour satisfaire l'estime de soi (niveau 2) ou un besoin de dépassement de soi (niveau 3).

Le BESOIN DE CONSIDÉRATION est celui qui nous pousse à rechercher la compagnie des personnes dont la présence est source de bien-être. C'est en général dans un contexte d'amour ou d'amitié que nous satisfaisons ce besoin.

Le BESOIN DE COMPÉTENCE est celui qui nous pousse à vouloir maîtriser adéquatement par une action certaines activités ou situations d'interaction avec son environnement.

Le BESOIN DE COHÉRENCE est celui qui nous pousse à donner un sens, une interprétation à ce qui se passe en nous et aux événements qui nous arrivent. C'est le besoin de comprendre, de connaître ce qui se déroule dans notre vie. C'est donc le domaine de la connaissance de soi et des interactions avec son environnement.

Au niveau de l'affirmation de soi, l'amour est d'abord vécu sous un mode plutôt insécure, donc possessif, la présence de l'autre étant nécessaire à l'amour de soi. De même, le travail ou le désir d'être performant devient souvent une façon de se valoriser, de s'aimer davantage, pouvant entraîner la personne dans une course effrénée à la réussite. Le besoin de cohérence amène la personne à essayer d'interpréter les réactions des autres pour évaluer les occasions où elle peut se montrer authentique ou non, car l'autre est menaçant par son pouvoir de désapprobation.

La personne vivant ses besoins au niveau de l'autotranscendance peut aimer d'une façon plus altruiste et plus inconditionnelle, en étant moins frustrée en cas de non-réciprocité. Le besoin d'aimer l'emporte sur son besoin d'être aimé. De même, au niveau de son besoin de compétence, elle n'a plus de preuves à fournir aux yeux des autres, elle connaît sa valeur et la réussite d'un projet importe plus que la gloire qu'elle peut en retirer. Son besoin de cohérence l'amène à réfléchir sur le sens de la vie, l'amour, la liberté et sur d'autres thèmes existentiels importants, au lieu de chercher à interpréter les réactions des autres à son égard. Elle est aussi beaucoup plus souple dans ses croyances et ouverte au changement.

Des transformations importantes s'effectuent au fur et à mesure que la personne évolue vers le niveau de l'autotranscendance. Sa sécurité affective et psychologique s'accroît. Elle devient son propre centre d'estimation, capable d'une juste autoévaluation. Elle détermine ses propres critères de valeur personnelle et a moins besoin des autres pour être confirmée dans sa valeur. Elle se centre sur un projet, un but qui la dépasse. Quelque chose dans sa vie est maintenant aussi important ou même plus que sa propre vie.

Au niveau de l'autotranscendance, la personne a fait le tour de son petit moi et marche vers plus grand qu'elle: le Soi. C'est à ce niveau que le développement spirituel est susceptible de s'accentuer et de conduire la personne à une plus grande intégration.

Il ne faut pas croire cependant que ces deux niveaux soient très cloisonnés, et qu'un beau jour la personne franchit le seuil de l'autotranscendance en se transformant radicalement. Il s'agit plutôt d'un continuum. Ce n'est que progressivement que la personne accède au niveau de l'autotranscendance et du dépassement de soi. Elle passe par des phases de transition entre ces deux niveaux. Très souvent, des éléments des deux niveaux se manifestent en même temps chez une même personne. Le chercheur qui travaille pendant des années à la mise au point d'un médicament contre le sida peut être motivé par le fait d'être utile et de rendre service à l'humanité (niveau 3) tout en aspirant à être reconnu à cause de sa découverte (niveau 2).

Le niveau d'autotranscendance peut sembler un bel idéal à atteindre. Toutefois, il faut prendre garde : ce niveau n'accueille que ceux qui ont fait leurs expériences au niveau de l'affirmation de soi.

Un piège doit être évité lorsqu'on se retrouve devant un modèle idéal de croissance humaine présenté dans certaines théories de la personnalité, comme d'ailleurs devant un modèle théorique de la hiérarchisation des besoins. La volonté d'atteindre l'idéal peut certes diriger notre énergie dans cette direction, mais le danger consiste à nier ou à refouler ce qui en nous ne cadre pas avec cet idéal.

La sainteté (modèle idéal) doit d'abord passer par la santé qui repose fondamentalement sur la capacité de se voir tels que nous sommes avec toute l'humilité nécessaire à cette vision juste de soi-même liée à un minimum de compassion envers nous-mêmes pour nous accepter, sans aucun jugement, là où nous sommes rendus dans notre cheminement.

Regarde en toi
pour laisser entrer la lumière.
Si tu y vois le vide,
c'est très bien,
car tu as beaucoup d'espace
à remplir d'une terre à cultiver.
Si tu y découvres ta tristesse,
c'est très bien
car tes larmes arroseront ton sol intérieur.
Si tu ne sais pas quoi faire,
c'est très bien
car tu as déjà fait ce qu'il fallait faire
en regardant en toi.
On ne dit pas à une graine comment faire pour pousser.
Elle n'a besoin que de lumière, d'eau et de terre.
C'est ton regard intérieur
qui fait croître la graine de vie que tu es...

Nous verrons dans les chapitres ultérieurs, qui aborderont plus particulièrement la dimension spirituelle de la croissance, que le niveau de l'autotranscendance repose sur toutes les étapes antérieures du développement. Un égoïsme et un égocentrisme bien vivants sont nécessaires à cette transcendance de l'ego.

*
* *

Choisir ses valeurs références, en utilisant sa fonction supérieure d'autodirection, c'est se doter de critères de choix quant à son agir qui devra être cohérent avec la direction existentielle choisie, tout en respectant l'étape développementale que nous traversons.

La clarification et la réalisation de ses valeurs références favoriseront ainsi leur processus de hiérarchisation. Et comme vivre une valeur référence implique des comportements cohérents avec celle-ci, l'action devient le moyen de satisfaire un besoin à travers la réalisation d'une valeur ou le dépassement d'une peur. On peut considérer qu'agir malgré ses peurs, en marchant vers elles pour les apprivoiser, devient en soi une valeur référence qui guide nos pas vers une meilleure satisfaction.

Le processus de clarification et de réalisation de ses valeurs respecte particulièrement le mode de fonctionnement du système complexe que nous sommes qui dispose de ses mécanismes d'autorégulation conduisant le système vers la réalisation du projet existentiel choisi. Le fait de centrer sa conscience sur un projet à réaliser, comme la réalisation d'une valeur référence, active ces mécanismes d'autorégulation.

> « Tout (…) se passe comme si, sur tous les plans de notre être, des systèmes cybernétiques naturels dont les mécanismes peuvent, sans inconvénient pour le résultat, échapper à notre entendement, n'attendent qu'un but précis, fixé par notre conscience, pour réaliser la finalité indiquée. »
>
> Brosse, 1978

En somme, la personne humaine est un système complexe conçu pour créer ses propres buts, capable de créer les moyens pour les atteindre, non seulement consciemment, mais également à un niveau inconscient ou surconscient, grâce à ces mécanismes autorégulateurs venant seconder la conscience dans la réalisation de ses buts.

Nous venons d'explorer un outil d'autodéveloppement sur le plan personnel qui trouvera son utilité dans notre rencontre avec l'autre, puisque l'authenticité devient souvent une valeur référence importante dans notre vie.

# CHAPITRE 3

## Le processus de communication : du paraître à l'être

*« La condition de toute fécondité est la capacité d'union avec un autre, c'est-à-dire celle d'ouvrir les barrières derrière lesquelles on se protège. »*

K.G. Durckheim

*« Il semble bien qu'autrui soit l'agent le plus efficace qui nous amène à donner vie à notre propre univers, à moins que, par un regard, ou une remarque, il ne démolisse la réalité dans laquelle nous sommes enfermés. »*

E. Goffman

Vous savez bien que certaines choses ne se disent pas, ne se révèlent pas, qu'il est tout à fait normal de les dissimuler au regard et, surtout, au jugement des autres. Derrière ce moi ouvert aux yeux des autres, se terre souvent cet autre moi à la merci de leur regard.

Nous sommes conscients que notre moi connaît un aspect public (social) et un aspect privé (personnel), et que, telle une pièce de monnaie truquée, nous présentons toujours la même face devant le regard de l'autre. Nous cherchons à nous rendre acceptables à ses yeux en présentant notre meilleure facette. Nous voulons offrir la meilleure représentation en réprimant ou en niant les aspects de nous-mêmes susceptibles d'encourir le rejet ou de mettre l'autre dans l'embarras. Nous nous rendons aimables, car un besoin fondamental d'amour et d'acceptation brûle au fond de tout être humain, un besoin qui brûle depuis le premier jour et qui brûle souvent jusqu'à la douleur...

Pour satisfaire notre besoin d'être acceptés et estimés, nous présentons notre moi public passe-partout, cette façade que nous avons jadis appris à ériger pour nous attirer l'amour parental.

J'aurais besoin d'être aimé
pour ce que je suis
et non seulement
pour ce que je fais.
Mais j'ai appris à cacher
ce que je suis et ressens vraiment
pour avoir droit à ton amour
et me protéger de ton rejet.
J'ai appris à paraître
et désappris à être.

\*
\*  \*

J'ai appris à garder la face,
à présenter la face qu'on aimera
mais à préserver mon autre face,
celle qui risque de moins bien paraître.
Mais ma façade se frappe contre la tienne.
J'ai peur de l'abattre,
tu as peur de l'enlever.
Paraître ou Être?
Que devons-nous faire?
Que devons-nous être?

\*
\*  \*

Je me protège contre toi
si tu réveilles en moi ce qui me trouble,
en te fuyant ou t'attaquant.

ou en gardant la bonne distance
déterminée par le bouclier du paraître.
Tu te protèges contre moi
de la même façon.
Mais dans le fond,
c'est contre moi-même que je lutte
comme c'est contre toi-même que tu luttes,
une lutte contre l'être-soi
qui n'ose paraître
devant le regard qui risque de l'anéantir.
Regard qui me fait peur,
mais dont l'absence me fait tout aussi peur
par la solitude qui le remplace.
Être ou Paraître?

L'origine de ce conditionnement, qui engendre le double moi public et privé, remonte à la phase de l'acceptation conditionnelle du processus de socialisation. L'enfant traverse une période où il est aimé inconditionnellement, quoi qu'il fasse. Il n'a qu'à se contenter d'être et l'entourage veillera inconditionnellement sur lui.

Puis l'enfant vieillit, alors la position parentale devient : « Je t'aimerai … si tu réponds à mes attentes, si tu obéis ». C'est la phase de l'acceptation conditionnelle du processus de socialisation.

Pour avoir droit à l'amour et à l'acceptation des parents, l'enfant n'a d'autres possibilités que de se conformer à leurs attentes. Totalement dépendant des parents, l'enfant, toujours susceptible de se voir retirer l'amour parental, commence l'apprentissage des rôles sociaux qu'il aura à jouer dans la vie. Il apprend à prévoir les attentes d'autrui et à y répondre pour ne pas avoir à subir la désapprobation et le rejet.

En tant qu'adultes, nous sommes donc parfaitement entraînés à présenter un comportement acceptable, susceptible de convenir à une situation, comme jadis nous avons appris à nous rendre acceptables et aimables aux yeux de l'autorité parentale.

Nous poursuivons notre chemin existentiel en considérant que l'autre a toujours ce même pouvoir de dispenser ou de retirer son amour, et que nous devons prévoir ses attentes et nous y conformer pour ne pas le déranger. Au fond de nous-mêmes, l'autre est toujours ce représentant de l'autorité parentale avec son pouvoir de jugement. Nous voyons l'autre en parent avec nos yeux d'enfant craignant le rejet et la désapprobation.

Chacun présente donc son moi public passe-partout à l'autre pour éviter le rejet. Chacun se sent plus confortable dans sa façon de (bien) PARAÎTRE que d'ÊTRE.

Le processus de socialisation façonne donc un double moi : l'un circonstanciel, qui joue les divers rôles adaptés aux situations (le moi public ou social) et l'autre (le moi privé ou personnel) qui demeure caché à la majorité des regards, quand ce n'est pas à soi-même.

Une des règles fondamentales que nous apprenons consiste à garder la face (paraître) et à sauvegarder la face de l'autre. Ceci engendre une relation caractérisée par une mutuelle protection, la façade (le moi public), cachant le moi profond qui craint toujours d'être blessé ou abandonné par autrui.

Garder la face devant l'autre en paraissant sous notre meilleur jour devient une des façons de satisfaire notre besoin d'amour. On cherche à rehausser ou, du moins, à maintenir notre estime de soi par notre belle façade.

Plus notre valorisation personnelle dépend des réactions de notre entourage, plus nous entrons en interaction en présentant notre moi public passe-partout. Dans un tel contexte, il convient de garder la face pour ne pas encourir une blessure à notre estime de soi. Notre façon de communiquer est déterminée par les conventions et le contexte dans lequel nous nous trouvons.

Plus la personne devient sa principale source d'estime de soi et de valorisation personnelle, par sa compétence à accomplir ce qui est important pour elle, plus elle peut entrer en interaction avec les autres en exposant son moi privé. Elle est capable de relations plus authentiques.

---

J'espère des autres qu'ils me confirment dans ma valeur
en présentant un moi qui en est digne,
un moi social respectable et surtout non dérangeant.
C'est comme si j'attendais que leur regard
me donne le sentiment de ma valeur,
au lieu de vivre ce qui est important pour moi,
de vivre ma valeur, et de me sentir bien
dans ce qu'il m'est important de vivre.

\*
\* \*

Seul au monde
comme tout le monde,
je fais mon bout de chemin

> parmi tout ce monde,
> prisonnier de « moi »
> qui désire le désir de l'autre,
> aime l'amour de l'autre,
> qui ne survit que par sa dose quotidienne d'amour
> qui lui donne sa valeur.
> Un moi intoxiqué par le regard qui me regarde,
> qui commande un moi public :
> moi du paraître, du statu quo, de la sécurité
> et qui fait peur au moi privé :
> moi de l'être, du changement, du risque.
>
> Forteresse du paraître
> qui protège du rejet,
> du risque de la solitude,
> mais qui empêche de sortir de soi
> et d'inviter l'autre en soi.

Nous naviguons tous dans l'existence avec un moi divisé entre le monde public (le paraître) et le monde privé (l'être-soi). Ce qui est inacceptable à nos propres yeux l'est aussi aux yeux de notre semblable. Mais nous avons oublié que cet inacceptable en nous l'est devenu parce que, jadis, autrui nous a jugés inacceptables et que nous avons fait nôtre son jugement négatif.

> Si jadis mon être a été réprimé,
> maintenant, je ne puis communiquer
> que dans le langage du paraître
> qui est devenu ma forteresse,
> mais aussi ma prison.
>
> J'aimerais déchirer ma façade
> pour te dire ce que je suis ;
> démasquer mon moi public
> pour partager ce que je vis ;
> être ignorant des conventions
> pour être simplement avec toi.
>
> J'aimerais être aussi transparent avec toi
> que je le suis avec moi.

mais j'ai peur que cette transparence
te fasse peur, te fasse fuir
et me laisse avec ma solitude.
Derrière ce mal-à-dire
se cache ce mal-à-vivre;
et qu'il est dur de vivre ce mal-à-dire,
et qu'il est dur de dire ce mal-à-vivre...

Je suis face à toi
dans un contexte qui me définit.
Je suis face à toi
dans un rôle qui définit
ce que je dois faire ou non,
ressentir ou non,
dire ou non,
être ou non,
un rôle qui détermine
l'image que je dois projeter,
qui doit s'accorder à l'image
que tu dois projeter,
et ça m'est tellement naturel
de jouer ce jeu
que j'en suis presque inconscient.
Et si on trouvait ensemble d'autres jeux
pour nous débarrasser de ces vieux jeux,
peut-être apprendrions-nous
quelque chose de mieux...

Comme la communication est un comportement, notre façon de communiquer se voit aussi orientée dans une certaine direction. De même que notre façon de faire est orientée dans une direction compatible avec les finalités sociales, notre façon de se dire est orientée vers le PARAÎTRE.

« Nous sommes tentés de chercher à préserver à tout prix notre image de nous-mêmes (...) Peu à peu, nous nous découvrons dans un état d'isolement à l'égard de nous-mêmes... Nous créons des barrières infranchissables à toute communication intérieure et extérieure (...) De part et d'autre, on en arrive à accepter une règle de conduite : je te laisse la paix et tu me laisses la paix (...) Ce phénomène d'isolation à l'égard d'autrui ou de nous-mêmes s'accentue lorsque nous nous mettons à croire à la réalité de ces façades, façades qui n'ont vraiment rien de réel (...)»

Weschler et coll., cité par Roussel

Nous sommes enchaînés au monde du PARAÎTRE, enfermés dans un mode de communication de double protection, où chacun protège son petit moi, en cachant soigneusement ce qui est contraire aux conventions. Et chacun a peur du regard de l'autre.

Communiquer sous le mode du PARAÎTRE, c'est être sous l'emprise de certaines peurs. C'est être PRISONNIER.

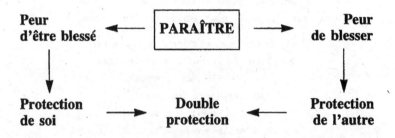

On cache certaines choses à notre semblable à cause de ces peurs fondamentales qui nous empêchent de nous exprimer tels que nous sommes.

> J'ai des choses à te dire
> et je sais qu'en te les disant,
> je cours le risque de te perdre.
> Le prix de mon ouverture,
> c'est le risque de te perdre
> ou le risque de ta propre ouverture...

Si nous avons appris par notre éducation à communiquer sous le mode du **PARAÎTRE**, il y a également la possibilité de communiquer sous le mode de l'**ÊTRE**, de la transparence, de l'ouverture, de la congruence.

La personne qui découvre la communication sous le mode de l'**ÊTRE** fait une ouverture en elle-même qui devient ouverture à l'autre. L'important n'est plus de garder la face ou de sauvegarder celle de l'autre, de bien **PARAÎTRE** aux yeux de l'autre, mais d'**ÊTRE** soi, de connaître et de se laisser connaître, chacun se sentant accepté dans ses différences et son unicité. La personne qui découvre la communication sous le mode de l'**ÊTRE** est en train de franchir une des plus importantes étapes de sa vie. Elle apprend à vivre **AVEC** autrui et non **PAR** ou **POUR** autrui.

Et voilà que je désapprends à paraître
pour apprendre à être,
pour réapprendre à être.
Je rends les armes,
car je n'ai plus envie de me défendre,
comme je n'ai plus envie de te protéger.

J'ai envie de m'ouvrir à la clarté
au lieu de mourir emprisonné.
J'ai envie de grandir,
de respirer, de sentir,
j'ai envie d'être-en-devenir...
mais avec toi...
Si toi aussi tu veux grandir au soleil.

## Le processus de communication et le processus de changement

Le moi PUBLIC,
c'est le moi du statu quo,
le moi des conventions,
le moi de la façade,
le moi du PARAÎTRE.

Le moi PRIVÉ,
c'est le moi du changement,
le moi du senti,
le moi de la spontanéité,
le moi de l'ÊTRE.

Le moi PUBLIC,
c'est le moi de la SÉCURITÉ.

Et le moi PRIVÉ
c'est le moi du RISQUE.

Et communiquer, c'est fondamentalement
risquer sa peau (moi public),
pour retrouver son cœur (moi privé).

Si la société nous a conditionnés à agir dans une certaine direction, c'est évidemment avec l'espoir que ce conditionnement se perpétue dans le temps, tant et aussi longtemps que les finalités sociales l'exigent. Et la meilleure façon de perpétuer ce conditionnement était sans doute de conditionner notre façon de communiquer en direction du paraître qui assure bien le statu quo.

La personne humaine, qui est un système ouvert sur l'environnement, peut échanger avec celui-ci des matériaux, de l'énergie et de l'information. Or, c'est le niveau de communication qui contrôle le degré d'ouverture du système d'échange d'information. Plus le système peut s'ouvrir, plus il peut échanger de l'information avec son environnement, et plus il peut s'enrichir et accéder à de nouvelles fonctions créatrices.

Dans cette possibilité d'ouverture continuelle, le système s'enrichit sans cesse, se complexifie ou, autrement dit, apprend à apprendre continuellement, ce qui constitue une des caractéristiques importantes des actualisateurs.

Plus le climat de communication est imprégné d'acceptation inconditionnelle, plus l'expression du moi privé est élevée et source d'une plus grande connaissance et conscience de soi. L'ouverture à l'autre devient ouverture à soi.

Le climat dans lequel se fait cette communication est important ; nous avons appris à communiquer sous le mode du paraître dans un climat de jugement, sous l'emprise du risque de rejet affectif, du retrait d'amour, crainte qui nous a conduit à nous forger un moi public protecteur. Si ce climat de jugement se transforme en climat d'acceptation, le moi privé, se sentant moins menacé par le jugement, peut se révéler plus facilement. L'ouverture à l'autre s'amorce, conduisant à l'ouverture à soi et au changement.

La croissance n'est pas seulement une affaire personnelle, c'est aussi et surtout une affaire interpersonnelle, car la croissance nécessite l'établissement de relations significatives avec autrui.

> « La relation interpersonnelle est sans doute l'élément le plus important pour apporter un changement dans les personnalités. »
>
> De Perretti

---

L'autre est la porte par laquelle on passe pour accéder à soi-même.

---

La façon dont nous communiquons avec l'autre est une occasion de statu quo si nous vivons dans le monde du paraître, ou une occasion de connaissance de soi et de croissance si nous décidons d'émerger dans le monde de la **TRANS**-parence, de l'être-soi. Mais qui va briser le statu quo ?

Qui va briser les chaînes du paraître pour **TRANS**-paraître ? Évidemment, nous attendons bien patiemment (parfois éternellement) que l'autre lève le voile, abaisse le masque, et c'est justement là que nous perpétuons le jeu social du statu quo, du non-changement.

Nous avons toujours besoin de l'autre pour grandir en connaissance et en conscience de soi, comme l'autre a besoin de nous.

Nous avons mutuellement besoin l'un de l'autre, mais non plus dans une relation de dépendance infantile où l'autre est essentiel à notre existence, mais dans une relation égalitaire où chacun peut donner autant que recevoir. Pourquoi continuer à craindre son semblable et son pouvoir de jugement, alors que lui aussi a tout aussi peur de notre pouvoir de jugement ? N'y a-t-il pas des jeux plus *intéressants* ?

Qui va briser le statu quo ? Qui va changer de jeu le premier ?

Nos premiers pas sur le sentier de l'authenticité nous font ressentir le besoin que l'autre nous donne la main pour nous accompagner dans nos profondeurs et cette main nous apparaît bien fragile, parfois invisible. Et nous aimerions attendre la main forte qui saura nous accueillir et nous accepter tels que nous sommes. Mais l'autre aussi attend une main, et s'il a la chance d'en trouver une, il la sentira bien fragile pour s'aventurer vers l'inconnu de son être.

Qui va briser le statu quo ?

« On attend toujours quelque chose de l'autre, ce par quoi cet autre et soi-même perdent leur liberté. »

Jung

Le meilleur moyen d'atteindre une main n'est-il pas de tendre la sienne ? TENDRE sa main au lieu d'AT-TENDRE celle de l'autre.

TENDRE une main, pour ATTEINDRE un cœur...

J'ai besoin de toi
pour ouvrir ma porte intérieure
non pour que tu l'ouvres
à ma place,
mais pour que tu sois
témoin de mon ouverture.
J'ai besoin d'aller vers toi
pour sortir de moi.

Au lieu de jouer au jeu de la double protection, il est possible d'apprendre un jeu beaucoup plus créateur, le jeu de la double ouverture, de la **TRANS**-parence. Si nous attendons l'ouverture de l'autre pour nous ouvrir nous-même, si nous attendons d'être sûr que l'autre nous accepte dans ce que nous avons à lui révéler, cette attente perpétue le statu quo.

La personne qui abaisse son masque la première, malgré les tremblements de peur qu'elle éprouve, découvre un des plus puissants mécanismes libérateurs de soi... et de l'autre.

Dans le continuum de la croissance humaine, l'authenticité constitue une étape cruciale. L'authenticité est cette capacité de se communiquer à l'autre tel qu'on se sent être, c'est une capacité d'ouverture à l'autre. L'authenticité ou la congruence est également une ouverture à soi, car pour s'exprimer à l'autre, je dois être conscient de ce qui se passe en moi.

« Pour vous révéler mes pensées, pour vous dire mes convictions et mes valeurs, pour vous exposer mes anxiétés, mes frustrations, plus encore pour partager avec vous mes échecs et mes succès, je dois être capable de le faire librement et sans crainte. Et, dans une certaine mesure, je ne saurai vraiment qui je suis que lorsque j'aurai pu vous exprimer tout cela. Je dois être capable de vous dire qui je suis avant de le savoir moi-même et je dois savoir qui je suis réellement avant de pouvoir agir de façon authentique, c'est-à-dire en accord avec l'être que je suis réellement. »

Powell

La personne congruente est intégrée, unifiée. Elle est ouverte à son expérience intérieure et peut s'ouvrir à l'autre si elle le désire. Être congruent, c'est être en contact avec soi-même pour avoir la possibilité d'être en contact avec autrui. C'est être capable de communiquer sous le mode de l'être-soi.

C'est la mort du paraître et le re-naissance de l'être.

Dis chaque mot avec la conscience
qu'il ne sera plus jamais prononcé;
donne chaque parole avec toute l'âme qu'elle recèle;
regarde l'autre de ton dernier regard avec l'intensité
de toute une vie condensée en un seul instant.

Dans cet instant qui s'achève à tout instant,
dans cette préparation à la mort continuelle
où chaque seconde devient passage vers l'inconnu,
ne t'encombre pas de tes habits.
tu n'en as pas besoin là où tu vas.

Laisse aussi tomber ta peau
que si souvent tu as voulu sauver ;
ne traîne pas ton image illusoire,
car tu es un film intérieur sans fin
qui te crée à chaque instant.

Dépose tes peurs, tes craintes, tes douleurs
au pied de ton cercueil,
car dans ce voyage
il n'y a de place que pour la paix,
la transparence, la communion.

Baigne ton corps de lumière
afin qu'il soit aussi transparent
que ton regard,
d'où jaillit la flamme de ton âme.

Et dans ta rencontre avec un Voyageur,
conduis-le à mourir à chaque instant,
car libre de ton image illusoire,
tu peux l'atteindre de ta Réalité.

Aiguise ton être afin qu'il soit transperçant,
réchauffe-le bien afin qu'il devienne brûlant
et en le faisant aussi transparent à son regard
qu'à ton propre regard,
d'un regard mortel,
brûle ses habits,
transperce sa peau jusqu'à la moelle
afin qu'il meure à ses images
et se détourne de ses bagages qui l'alourdissent.
Car là où vous allez,
les bagages ne suivent pas,
seul l'instant présent existe.

Vis chaque mot comme le dernier,
donne ton âme dans chaque parole
avec l'intensité de toute une vie
condensée en un seul instant ;
tel est ton seul passeport...
vers l'être-soi.

La personne qui, dans sa vie quotidienne, apprend le langage de l'être, fait rapidement une découverte : l'ouverture de l'un favorise celle de l'autre. C'est ce qu'on peut appeler l'effet dyadique qui repose sur ce principe général que «toute confidence appelle une confidence». L'authenticité a donc un effet contagieux favorisant la croissance puisque la révélation de soi est considérée comme un des signes de santé et un des moyens importants d'arriver à une personnalité saine.

Il ne faut pas croire cependant que le degré de santé psychologique est directement proportionnel au degré d'ouverture. Trop, comme trop peu d'ouverture traduit un mauvais ajustement de la personnalité. Il ne s'agit pas seulement de se révéler, encore faut-il être capable de choisir le bon interlocuteur et le bon moment. En somme, il faut discriminer les bonnes situations pour s'ouvrir à autrui, et s'ouvrir sans exclure l'aspect émotionnel de son être.

La communication, dans certaines conditions, est donc un puissant outil de connaissance et de conscience de soi en plus d'être un instrument de transformation de soi et de l'autre, car la personne qui parle le langage de l'être conduit autrui à adopter aussi le langage de la transparence.

Chaque fois que la peur clôt notre être, nous sommes prisonniers du statu quo ; chaque fois que notre être émerge malgré cette peur, l'ouverture s'agrandit en soi et laisse place à l'amour...

L'amour ne passe qu'à travers cette ouverture qui nous lie à l'autre et nous délie des chaînes du paraître en libérant notre être profond.

## Choisir l'authenticité

Définie d'une façon simple, l'authenticité est la cohérence entre ce que je pense, ressens et exprime. En d'autres termes, ce que je pense, ressens et exprime est une seule et même chose.

Dès que nous arrivons à l'âge adulte, nous sommes maîtres dans l'art d'être inauthentiques. Nous avons appris à montrer une façade, à bien paraître aux yeux d'autrui. Nous avons, par le fait même, appris à refouler toutes ces choses inacceptables que nos parents ont jugées négativement. Des émotions sont refoulées, certes, mais il ne faut pas oublier les autres niveaux de notre être qui se voient aussi réprimés : nos besoins, nos désirs, notre créativité, notre spontanéité. En refoulant le « mauvais » (ce qui est jugé ainsi par nos parents), nous oublions souvent que le « bon » se voit aussi relégué aux oubliettes de notre inconscient. Si la rage est refoulée, la capacité d'amour est refoulée, si la tristesse est refoulée, la capacité de joie est refoulée.

Pour nous conformer aux attentes sociales et aux règles de la vie en société, nous devons renoncer à certaines parties de notre être. Mais notre tâche en tant qu'adultes consiste à retrouver ces parties oubliées de notre être qui peuvent maintenant s'exprimer dans le respect des autres.

Nous entamons notre vie adulte avec le sentiment d'être incomplets. C'est dorénavant notre tâche de retrouver les morceaux manquants. C'est par l'authenticité que cette réunification intérieure devient possible. Ce n'est pas sans raison qu'un grand nombre d'approches thérapeutiques mettent l'accent sur l'authenticité, sur le contact avec son être. Sans contact avec soi, on perd contact avec la Vie. Mais l'authenticité n'arrive pas par hasard, un jour, comme un cadeau.

L'authenticité se développe dans la mesure où je prends la **décision** d'être moi-même.

---

L'authenticité est une question de choix.

---

Ou je reste soumis à l'opinion des autres, craignant sans cesse le rejet et la désapprobation, ou je choisis d'être ce que je suis, quel qu'en soit le prix. Et ce prix semble exorbitant : perdre l'amour signifie la mort pour notre enfant intérieur.

Sur le plan psychologique, choisir d'être authentique correspond à la coupure du cordon ombilical. Je choisis de vivre par moi-même, pour moi-même, avec les autres, au lieu de vivre en fonction des autres. Vais-je survivre ?

J'ai appris qu'en obéissant à papa-maman[7], je pouvais récolter leur amour. Je suis convaincu qu'en cessant de deviner les attentes de mon semblable et d'y répondre, j'en subirai les conséquences comme jadis ; je me retrouverai seul, abandonné, rejeté. Vais-je survivre ?

Nous avons appris qu'en étant non authentiques, nous pouvions acheter l'amour des autres. Et malgré tous nos « achats », nous n'arrivons jamais à nous aimer nous-mêmes. Si notre stratégie pour se faire aimer en répondant aux attentes des autres échoue, nous croyons qu'en nous dévouant sans compter, nous finirons par récolter l'amour recherché. Malgré tous nos sacrifices, nous n'arrivons toujours pas à nous aimer nous-mêmes. Et le plus cruel dans ces tentatives d'acheter l'amour, c'est que lorsque nous le rencontrons vraiment, nous en avons peur, nous refusons de croire qu'il est pour nous, et nous le fuyons ! Nous sommes incapables de l'accueillir en notre être.

Tant que nous croyons devoir cacher des parties de notre être pour nous rendre acceptables et aimables, nous passons à côté de notre

---

7. J'utiliserai fréquemment l'expression « papa-maman », qui désigne, bien sûr, le père et la mère, mais aussi toutes les personnes qui ont joué un rôle important dans notre enfance.

unification intérieure. Nous continuons à maintenir la coupure interne entre ce qui est acceptable et ce qui est non acceptable.

Tant que je considère qu'il y a de l'inacceptable en moi, je perpétue le refoulement de mon être. L'authenticité est le processus de dévoilement de mon être, sa découverte, son actualisation. C'est le processus continuel de renaissance de mon être, qui retrouve peu à peu les dimensions qu'il a dû taire pour répondre aux nécessités sociales.

Choisir l'authenticité est probablement l'acte le plus difficile qui soit. C'est le geste qui réveille les plus grandes peurs en l'absence complète de garantie pour franchir cette étape de croissance. Je me choisis comme plus important que l'amour que les autres peuvent me donner. Geste mortel et qui est en même temps le plus grand acte d'amour de soi. Geste mortel parce que j'ignore ce qu'est la vie sans le cordon ombilical affectif dont je dépends, mais également geste d'amour à cause de la vie nouvelle que je me donne.

**Choisir d'être authentique, c'est me donner naissance à moi-même, grâce à l'autre, avec l'autre, en l'invitant à se donner naissance à lui-même.**

---

### RÉFLEXION
- Suis-je prêt à prendre le risque d'être moi ?
- Suis-je prêt à perdre ?
- Quel est le pire qui puisse m'arriver si je choisis d'être authentique ?
- Suis-je apte à accepter cette pire conséquence ?
- Avec qui en particulier mon besoin d'être moi est-il le plus fort ?
- Qu'ai-je à dire à cette personne ?
- Quand vais-je le lui dire ?

---

L'authenticité est une question de libre choix. Personne ne nous contraint à choisir cette direction de croissance. À chacun d'avancer pas à pas sur ce sentier en respectant son propre rythme.

## Se libérer de l'image de soi

Il arrive que je rencontre en thérapie des personnes qui font le choix d'être authentiques. Elles voient la nécessité de s'exprimer et de s'affirmer. Elles savent très bien ce qu'elles veulent communiquer. Pourtant, au moment d'agir, elles figent, perdent tous leurs moyens et restent prisonnières du silence. Cette paralysie de la parole est vécue comme un échec et elles tombent souvent dans le piège de l'autocondamnation.

Sans vouloir en faire une règle générale, je dirais que plus une personne se juge négativement et plus son estime d'elle-même est faible, plus il lui est difficile d'actualiser son authenticité. Elle veut vraiment être authentique, mais la peur de perdre l'amour de l'autre peut la pétrifier.

Face à la peur du rejet, nous n'avons pas tous la même sensibilité. Ce qui pour l'un est un risque acceptable devient pour l'autre une situation impossible à vivre. Or, pour se libérer d'une image de soi dévalorisée, il faut parfois commencer par se libérer du jugement négatif de soi. Il est presque impossible d'arrêter l'émergence d'un jugement négatif sur soi. Par contre, il est en notre pouvoir de cesser de le nourrir. Chaque fois que le jugement négatif sur soi l'emporte, nous ne faisons que diminuer notre amour-propre en renforçant une image dévalorisée de soi-même. Il peut être utile de comprendre d'où provient une image de soi négative pour éviter de perpétuer cet autojugement négatif.

À la naissance, le moi n'existe pas. Il faut attendre environ trois ans avant qu'il acquière une certaine stabilité et que sa représentation à la conscience s'installe graduellement. Notre concept de soi prend donc des années à acquérir une structure stable.

Durant tout ce temps, le moi en formation se trouve dans un «utérus» culturel. Nous sommes psychologiquement toujours en gestation dans le ventre de notre «mère-sociale». Le concept de soi se nourrit des modèles de conduite que l'enfant peut observer autour de lui. Mais l'enfant ne fait pas qu'imiter des comportements, il intériorise aussi des attitudes, des sentiments, des émotions, des croyances qu'il peut sentir ou entendre car il traverse des phases d'imitation, d'identification, de suggestibilité. Bien sûr, en vieillissant, il ne conserve pas tous les éléments qu'il a pu intérioriser à une certaine époque, mais un bon nombre de ces conduites, attitudes ou sentiments avec lesquels il a été mis en contact dans son enfance s'inscrit dans sa personnalité.

Le concept de soi ne se résume pas aux contenus d'information sur soi, c'est aussi leur évaluation positive ou négative. Je peux donc avoir une évaluation affective positive ou négative de moi-même en fonction de mon jugement : j'aime ou je n'aime pas tel aspect de ma personnalité.

Chaque trait qui nous caractérise ne possède pas en lui-même de valeur positive ou négative. Pour l'enfant, il n'y a aucun jugement de valeur au départ. L'enfant peut intérioriser des éléments extérieurs à lui, mais il n'a pas encore le pouvoir d'autojugement. Il ne peut qu'intérioriser les jugements positifs ou négatifs d'autrui.

Il est très important de savoir que le jugement d'autrui devient pour l'enfant son autojugement. Le regard d'autrui devient sa propre façon de se regarder. L'enfant se regarde à travers les yeux qui le regardent.

Les parents évaluent le comportement de l'enfant en fonction de leurs attentes, comportement tantôt apprécié et valorisé parce que conforme à ces attentes, tantôt puni et réprimé parce que contraire aux exigences parentales. Or, c'est à ce moment que les réactions des parents prennent valeur de jugement. Plus un enfant aura été évalué négativement, l'accent étant porté sur ses déficiences et ses manquements plutôt que sur ses capacités, plus il risque de développer une image négative de lui-même.

> «L'évaluation correcte par autrui des capacités propres à un individu a une valeur considérable pour le bon fonctionnement et la formation du sentiment d'identité. Ceux qui sous-estiment leurs capacités se privent au départ de nombreuses expériences et activités qui pourraient développer leurs propres potentiels. Ils agissent sur un mode auto-limitatif, se privant eux-mêmes d'expériences potentiellement gratifiantes et enrichissantes (...) Si ces systèmes de références sont établis très tôt, il est probable qu'on les retrouvera à des périodes plus tardives devenant alors un facteur significatif du sentiment d'identité.»
>
> Mussen

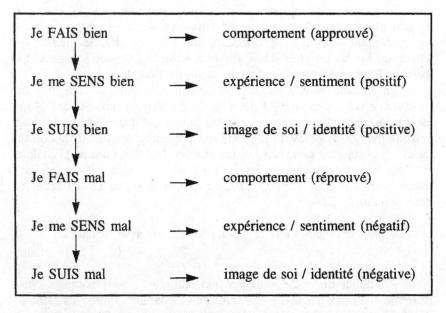

L'enfant a tendance à étendre l'évaluation d'un comportement à son être tout entier, une généralisation du «je fais» au «je suis». En tant que parent, je peux décider que tel comportement n'est pas acceptable en société et, évidemment, ma tâche consiste à éviter que ce comportement se reproduise, comme frapper ses amis ou leur lancer des cailloux. Mais selon la façon dont je m'y prends pour amener l'enfant à ne plus manifester ces comportements, je ne fais que lui apprendre une règle de conduite éthique ou je contribue à lui façonner une image de soi négative.

Pour bien comprendre cette distinction, voici une mise en situation. Vous venez de brûler un feu rouge. Un policier vous intercepte, vous demande poliment votre permis de conduire en vous signalant votre faute, dresse la contravention et vous la donne. Vous vous êtes peut-être senti nerveux d'être interpellé par le policier mais, en aucun cas, vous ne vous êtes senti coupable ou agressé.

Maintenant, imaginez que ce policier réagisse différemment à votre faute. Il se montre agressif, vous injurie, vous fait la morale et se montre impoli tout en dressant votre contravention. Vous sentez monter en vous le malaise qui peut conduire à l'agressivité, ou la culpabilité vous envahit, et vous vous sentez écrasé dans votre voiture.

En tant que figures d'autorité, nous agissons souvent comme ce policier pour corriger l'enfant. Mais l'agressivité déployée pour lui montrer l'erreur contribue également à lui façonner une image négative parce qu'il se perçoit comme on le perçoit, c'est-à-dire mauvais. Alors que le but visé est simplement de lui apprendre une règle de conduite importante, on lui montre en même temps qu'il est mauvais.

L'enfant a besoin de connaître les lois sociales, les règles de conduite. Le laisser-aller serait aussi catastrophique pour son développement futur, mais tout est dans la façon de l'éduquer.

En prenant conscience du processus qui conduit à la formation du concept de soi, on en arrive à des conclusions peu encourageantes. Nous devenons, en bonne partie, ce que les autres ont bien voulu que nous soyons par les modèles qu'ils nous ont présentés, les jugements qu'ils nous ont portés, les sanctions qu'ils nous ont données, comme la chaleur et l'amour qu'ils nous ont témoignés. Ce sont d'abord les autres qui nous disent qui nous sommes, et il est bien difficile de ne pas accepter leur version de l'histoire.

«Nous apprenons à être ce qu'on nous dit que nous sommes».

Laing

Au début de notre «carrière existentielle», nous sommes donc fortement dirigés par les autres qui nous façonnent comme ils l'entendent. Nous sommes le fruit de leurs réactions à notre égard, notre sens d'autocritique se développant de façon plus tardive, et n'arrivant presque jamais à réévaluer ce qui a été incorrectement évalué dans les premières années de la vie. Mais, une fois que ce concept de soi est formé, structuré, comment agit-il dans notre vie ?

*
* *

Nous avons bien peu choisi d'être ce que nous sommes. Nous n'avons pas choisi d'être timides, agressifs, de nous sentir incapables et inutiles, pas plus que nous n'avons choisi d'être confiants, optimistes, généreux ou remplis de douceur et de tendresse. Nous n'avons pas choisi de développer ce que nous considérons tantôt comme des défauts, tantôt comme des qualités. Nous n'avons pas choisi d'avoir une image négative de soi, liée à une faible estime, pas plus que nous n'avons choisi d'avoir une image positive de soi et de nous estimer dignes de valeur. Mais à notre insu, nous continuons de choisir tous les jours les mêmes contenus d'information sur soi de même que notre façon de les évaluer positivement ou négativement.

Le concept de soi représente un important régulateur de notre comportement et de nos sentiments. Notre conduite est donc ainsi déterminée, en bonne partie, par notre concept de soi. Ce que je pense que je suis détermine un comportement cohérent avec cette image de soi. Ce comportement est évalué par autrui dans le même sens que notre image de soi qui se trouve ainsi confirmée et renforcée. Une fois que le concept de soi est structuré, on observe la tendance à l'auto-confirmation et à l'autovalidation.

> «On se comporte de façon à se faire juger d'une certaine manière par autrui, afin que le jugement de soi par autrui confirme le jugement de soi par soi. Toute tendance d'autrui à remettre en question la manière dont on se juge habituellement soi-même est créatrice d'anxiété, même si elle tend à une valorisation.»
>
> Meigniez

Dans l'enfance, ce sont les réactions des autres qui contribuent à former l'image de soi, et nous acceptons leur version de l'histoire en intériorisant leur jugement sur nous. Une fois formée et structurée, l'image de soi chez l'adulte a besoin d'être confirmée par les réactions et les perceptions des autres. On s'arrange pour qu'autrui confirme notre propre version de l'histoire.

En général, plus une personne possède une image de soi positive, plus elle peut se diriger dans plusieurs directions différentes, expérimenter de nouveaux comportements, et ressentir une gamme plus étendue d'émotions et de sentiments.

Mais, même positive, une image de soi est régulatrice des comportements et des sentiments et peut devenir autolimitative, comme le cas de la personne «forte». La personne qui présente à autrui une image de force en retire généralement satisfaction et estime de soi, et les autres la renforcent dans cette image de force. Mais peut-on être toujours fort, sans jamais connaître la faiblesse et l'échec?

Si jamais une telle personne vient consulter en thérapie, c'est après la période de crise. Elle «remonte tranquillement la côte» et vient surtout chercher de l'information pour savoir ce qui s'est passé. Elle présente son vécu avec tellement de détachement et d'assurance que le thérapeute se demande ce qu'il peut bien faire pour elle. Mais le thérapeute qui n'est pas dupe observe par moments les yeux qui rougissent et les lèvres tremblotantes. Si les rencontres se poursuivent, un beau jour, le masque éclate. Derrière le roc de Gibraltar se déverse un océan de tristesse. Une des premières contraintes de l'image de force est d'interdire l'expression de toute tristesse, encore plus s'il s'agit d'un homme. Pleurer, c'est afficher sa faiblesse qui est incompatible avec l'image de force.

Sur le plan professionnel, c'est un personnage reconnu pour sa compétence et sa motivation. Il est incapable de refuser les responsabilités qu'on lui confie malgré la surcharge de travail qui le surmène. Le travail est pour lui occasion de valorisation. Il pourra supporter le surmenage professionnel pendant des mois, souffrir en silence de ses migraines interminables. Et, un beau jour, il se trouve en congé forcé, terrassé par l'épuisement, coupable d'abandonner ses occupations professionnelles. Il a si bien su se rendre indispensable que ses collègues de travail lui font bien sentir comme son absence est pénible. Une personne forte ne peut se permettre de s'arrêter, ne peut montrer aucun signe d'épuisement, car là encore, c'est faire preuve de faiblesse et décevoir ses collègues qui croient en cette image de force.

Sur le plan de ses relations interpersonnelles, la personne forte est surtout celle à qui on se confie. Les autres vont vers elle pour parler de leurs problèmes, chercher un conseil avisé, mais l'image de force interdit toute ouverture qui laisserait paraître une faille quelconque. La personne forte n'a pas le droit d'avoir des problèmes et de les partager. Elle sait écouter, mais elle est incapable de se dire. Il lui arrive parfois d'avoir envie d'une épaule pour s'appuyer, s'abandonner, se décharger de cette lourde image de force qui l'écrase, mais elle craint alors d'être abandonnée, de ne pas être acceptée dans sa faiblesse, et elle panse alors ses blessures en solitaire et en silence.

Le plus triste dans toute cette histoire est de voir cette image de force constamment renforcée et confirmée par l'entourage. Même si la personne veut s'en débarrasser, elle a à faire face aux autres qui la perçoivent comme forte tant qu'elle ne prend pas le risque de se montrer telle qu'elle est. Si elle assume ce risque, sa propre image peut changer et celle que les autres peuvent avoir d'elle. Elle apparaît alors comme une personne simplement humaine, avec ses forces et ses faiblesses, capable de vivre toute la gamme d'émotions qu'un humain peut ressentir. Dès lors, elle entre en contact non seulement avec ses images intérieures, ses étiquettes conceptuelles qui la définissent et déterminent ce qu'elle peut ressentir ou non, faire ou non, mais elle entre en contact avec son vécu intérieur d'instant en instant, ce que j'appelle le film en soi en opposition avec l'image statique de soi.

Certes, le système d'image de soi positive peut être avantageux, mais il nous coupe toujours d'une partie de notre réalité et, en plus, nous fige dans notre évolution. En choisissant d'être authentique, l'image statique de soi devient un «film» en soi en accord avec le grand mouvement de la vie en soi.

Derrière mes images de moi
se déroule en moi ce film intérieur
qu'il m'est difficile de te dévoiler,
ce film qui est ma véritable histoire.
Tandis que mes images de moi
ne me laissent connaître qu'à travers
l'album de photos de mon passé,
ce film intérieur
représente ce que j'aurais envie de te dire
si je n'avais pas peur
de baisser mes images protectrices
qui m'empêchent de dire certaines choses,
parce qu'elles ne cadrent pas avec l'image que j'ai de moi.

Ce film intérieur,
c'est la vie d'un instant
qui s'écoule en moi,
l'émergence d'une émotion
qui traverse mes entrailles,
la douceur d'un sentiment
qui réchauffe mon cœur.
C'est tout ce qui s'agite en moi
d'agréable et de désagréable
mais qui fait que je suis «en vie»
et que j'ai envie d'être
ce que je suis...

Le passage de l'image de soi au film en soi est semé d'obstacles. Prendre conscience de ces images de soi autolimitatives constitue un premier pas. Se permettre de s'apprivoiser dans de nouvelles situations interdites par des «je ne peux pas», est une autre façon de restaurer une image de soi, mais il est difficile de travailler directement sur le concept de soi. Le concept de soi constitue la pièce maîtresse de la personnalité, un haut lieu de direction qui ne s'aborde pas facilement.

Comme toutes les composantes de la personnalité sont reliées, il est plus facile de favoriser un changement de son image de soi en travaillant sur d'autres composantes comme les attitudes ou les comportements.

Il est difficile de changer son image de soi en essayant de se convaincre que ces mauvaises images de soi négatives n'existent pas. L'action est beaucoup plus efficace pour se transformer. Et une des actions les plus importantes est l'action de se communiquer qui, en devenant ouverture à l'autre, devient ouverture à soi, ouverture au film de vie en soi.

Cette communication authentique est d'autant plus facilitée que l'on cesse de se juger comme on a été jugé dans notre enfance.

## Transcender le jugement de soi

Une des clefs qui donnent accès à une plus grande unité intérieure et à une authenticité concrètement vécue est la capacité de transformer le jugement de soi en une saine observation de soi.

| | |
|---|---|
| **Jugement de soi** | Évaluation en termes de bien/mal qui conduit souvent au blâme et à la culpabilité lorsque le jugement est négatif. |
| **Observation de soi** | Évaluation en fonction des conséquences satisfaisantes ou insatisfaisantes de ses actes qui conduit à une recherche d'une action susceptible d'être plus satisfaisante en cas de frustration. |

### EXEMPLE

« Je n'ai pas réussi à être authentique avec mon conjoint. »

| | |
|---|---|
| **Jugement de soi** | Je suis un poltron et un lâche, je m'en veux d'avoir ravalé encore une fois. |
| **Observation de soi** | Quand mon conjoint a haussé le ton, j'ai ressenti de la peur, ma gorge était nouée et mon souffle coupé, j'étais incapable de dire un seul mot. Je réalise que je perds mes moyens face à l'agressivité de mon conjoint. Lui écrire ce que j'ai à dire serait plus facile pour moi en ce moment. |

Le jugement de soi porte sur mon **être** : «Je suis.» La condamnation de ce que je suis conduit à la prison intérieure de l'impuissance : «Ça ne sert à rien.»

L'observation de soi porte sur mon **comportement** dans cette situation. «Je suis frustré parce que je n'ai pas pu dire ce que je voulais exprimer. Il faut que je cherche une nouvelle façon de m'y prendre. Je n'ai pas réussi cette fois, mais demain, je vais lui dire comment j'ai réagi devant son agressivité.» L'observation de soi conduit à tirer des leçons de ses expériences et à une recherche de solutions plus satisfaisantes.

Je vous propose un exercice qui non seulement vise à diminuer le jugement de soi mais contribue à la guérison de ses blessures d'enfance.

## DEVENIR PRÉSENCE D'AMOUR POUR SOI

1. Ne plus s'identifier au parent critique intériorisé.
2. Transformer le parent critique intériorisé en parent nourricier.

Pour ne plus s'identifier au parent critique intériorisé, il s'agit de se rappeler, comme nous l'avons vu, qu'enfants, nous intériorisons le jugement des adultes.

Leurs jugements deviennent notre jugement. Or, est-ce vraiment moi qui me parle si durement maintenant ou est-ce la voix intériorisée d'un parent critique qui s'exprime à travers ma propre voix ?

Par exemple, est-ce vraiment moi qui ai décidé que j'étais un raté ou un imbécile parce que j'étais incapable d'attraper une balle lancée par un père qui valorisait les prouesses sportives et qui espérait inconsciemment que je réussisse là où il avait échoué ? Est-ce vraiment mon échec sportif que je porte en moi, ou **son** échec ? Si j'avais eu un père dont le seul sport consistait à tondre la pelouse, il est bien peu probable que je me sois senti ridicule parce que j'étais incapable d'attraper une balle.

La voix d'un père critique qui valorisait le baseball et soulignait constamment mes échecs («espèce de bon à rien») s'est fondue à ma propre voix intérieure et s'est sans doute généralisée à d'autres domaines que le sport.

Ce que j'ai intériorisé à mon insu, je peux maintenant l'exorciser consciemment en devenant parent nourricier pour moi.

1. Assis confortablement, je respire quelques instants au centre de ma poitrine (centre énergétique du cœur : chakra de l'amour inconditionnel et de la guérison).
2. Je laisse venir à moi l'image de mon enfant intérieur.

3. J'entreprends un dialogue intérieur avec mon enfant intérieur. «Comment te sens-tu? Que se passe-t-il?»
4. Je le laisse répondre intérieurement et continue le dialogue avec lui.

En tant que parent nourricier, mon rôle consiste à offrir une présence à l'enfant intérieur : je lui offre ce que je n'ai probablement jamais suffisamment reçu de mes vrais parents.

Lorsque j'utilise cet exercice en thérapie, je suis souvent émerveillé de l'efficacité de ce dialogue intérieur. En quelques minutes, il permet à la personne de se libérer d'une émotion négative ou de transformer la peur en espace de sécurité. Parfois, l'enfant intérieur résiste. Le client n'arrive pas à entrer en contact. L'enfant peut apparaître de dos, boudeur ; parfois, il rejette carrément l'adulte. «Laisse-moi tranquille, je ne te fais pas confiance.» Il faut alors prendre le temps de l'apprivoiser, de l'accueillir dans sa peur au lieu de le traiter comme on a été traité jadis, en le rejetant davantage.

Prendre le temps de réaliser ce processus intérieur[8], lorsque nous nous jugeons, est très thérapeutique. D'une part, nous mettons fin à un mécanisme destructeur, c'est-à-dire se (mal) traiter comme on a été (mal) traité par nos figures d'autorité. D'autre part, nous changeons notre mémoire corporelle. Les messages négatifs imprimés dans notre inconscient corporel s'effacent peu à peu au profit de messages positifs qui pourront de mieux en mieux nourrir notre capacité d'amour.

---

8. Le lecteur désireux d'approfondir ce processus de dialogue intérieur peut consulter l'excellent ouvrage de Margaret Paul, *Renouez avec votre enfant intérieur*, Le Souffle d'Or, 1993.

# CHAPITRE 4

# *L'amour*

> « *Rien de ce qui peut être possédé en ce monde ne vaut la peine d'être aimé et rien de ce qui peut être aimé ne vaut la peine d'être possédé.* »
>
> J. Lachelier

> « *Si vous pouviez vraiment vivre dans l'amour, vous vivriez sans* **souffrance**. »
>
> A. Desjardins

Au début de la vingtaine, j'ai décidé que l'amour n'existait pas. Sans doute, cette décision avait pour but de diminuer ma souffrance ; tomber amoureux dans la non-réciprocité n'a rien de bien passionnant. Or, si l'amour n'existe plus, la souffrance non plus.

Bien sûr, j'avais d'autres raisons pour considérer la non-existence de l'amour mais, en définitive, la principale motivation était liée à la souffrance qui découle d'un amour déçu. Le temps passa, et je me suis peu à peu réconcilié avec la possibilité de l'existence de l'amour sans trop savoir ce qu'il était. Ainsi, de la position «L'amour n'existe pas», je passais à la position «L'amour, j'ignore ce que c'est».

De là mes tentatives de définition de l'amour : «Aimer, c'est désirer connaître, tout en laissant libre»; «Aimer, c'est rendre l'intérieur extérieur». Bien sûr, je ne me contentais pas de simplement définir l'amour, j'essayais de vivre mes définitions... pour découvrir que ce n'était pas tout à fait ça. Malgré tout, mes définitions approximatives m'ont sans doute aidé à me rapprocher de la réalité.

Ainsi, au début de la trentaine, aimer était devenu pour moi « accorder à l'autre le droit d'être ce qu'il est dans sa totalité ». Définition précieuse qui m'a appris l'impossibilité d'accorder ce droit à l'autre si je ne m'accordais pas le même droit : « Aimer son prochain comme **soi-même**. » Essayer de vivre cette définition de l'amour représentait toute une tâche, et quelle difficulté ! Mais quel apprentissage aussi ! Je me souviens des moments où j'ai dû m'avouer vaincu devant mon incapacité d'accorder le droit d'être à l'autre, triste et même désespéré de ne pouvoir rester fidèle à ma valeur. Parfois, quelque chose d'inattendu se produisait. Ma capacité d'amour inconditionnel se restaurait, comme si quelque chose en moi faisait naître la capacité de redonner la permission d'être à l'autre, non seulement avec ma tête, mais avec mon cœur.

Au fil des ans, et après plusieurs modifications à ma perception de l'amour, j'en suis arrivé à ne plus accorder d'importance à mes définitions, car je sais maintenant que ma définition de l'amour ne sera toujours qu'une définition partielle, que l'amour sera toujours plus que cela, toujours plus que ce que je **pense** puisque l'amour **me** dépasse. Ce n'est plus moi qui peux définir l'amour, je sais que ce sera l'amour qui me définira...

Bien des souffrances découlent d'une méprise sur la signification de l'amour. Il est très facile de confondre l'amour avec le désir, l'attachement, la possession, le besoin, de confondre être en amour et aimer. Les impasses sur le sentier de l'amour sont très nombreuses.

Malgré toutes ces pages qui ont voulu peindre le visage de l'amour, il reste un mystère. Il y a autant de visages de l'amour qu'il y a de visages d'hommes et de femmes qui cherchent à aimer et à être aimés.

Mais qu'est-ce que l'amour ? Qu'est-ce qu'aimer ? Comment être aimé ? Comment s'aimer ? Chacun a sa réponse plus ou moins malheureuse puisque l'amour, tout en étant la promesse d'un bonheur grandiose, conduit bien souvent à la blessure intérieure. Pourquoi tant de rêves de bonheur dégénèrent-ils en souffrance ?

L'amour a fait couler beaucoup d'encre et tant de larmes aussi. Notre conception de l'amour serait-elle erronée ? L'amour serait-il autre chose que ce que nous croyons ?

## Aimer et être amoureux

Par un chaud matin d'été, un enfant se promenait dans les champs fleuris et ensoleillés. Son regard fut soudain **attiré** par une Fleur qui se **distinguait** de ses consœurs par sa couleur éclatante et son parfum si suave. Le jeune enfant **contempla** la Fleur un long moment avant de reprendre son chemin. Le soir venu, il pensa à nouveau à cette Fleur qu'il trouvait si **belle** et qui lui tenait toujours compagnie en pensée. Très tôt le lendemain matin, dans la rosée étincelante, le garçon s'empressa de retrouver la Fleur pour mieux **l'admirer** et prendre le temps de s'enivrer de son parfum. De retour à la maison, ses pensées se tournèrent encore vers cette Fleur qui **vivait dans sa tête**. Il prit conscience que sa **présence lui manquait**. Il songea que quelqu'un d'autre ou un animal pourrait la détruire en la piétinant, et cette pensée le rendit anxieux et triste ; la Fleur serait-elle toujours là ? Pourrait-il toujours la voir ? Le gamin alla retrouver la Fleur avec l'intention de la cueillir pour mieux en prendre soin. Précautionneusement, il la tira du sol et la mit dans l'eau. Il lui trouva un beau vase comme demeure. Il était heureux de **posséder** une fleur idéale qui était devenue **sa Fleur**.

Sa Fleur lui semblait toujours plus **belle**. Sa présence le **comblait de bonheur**. Au quatrième jour cependant, sa Fleur se fanait de plus en plus et perdait son **image** resplendissante. Tout triste de la situation, le jeune gamin, larmes à l'œil, qui avait espéré que sa Fleur soit **toujours** avec lui, découvrait qu'une fleur coupée voyait sa vie écourtée. Quand on **possède** une fleur, on la **dépossède** de ses racines et elle est condamnée à mourir avant terme.

> « Pourquoi la fleur s'est-elle fanée ?
> Je l'ai serrée contre mon cœur
> de mon amour anxieux.
> Voilà pourquoi la fleur s'est fanée. »

R. Tagore

> « Si l'amour est le don libre de la personne à une autre personne, le contraire réside dans la tentative pour s'approprier l'être de l'autre. »

F. D. Wilhelmsen

### BIENHEUREUSE ROSE

> Si tu cherches à aimer,
> aime comme une rose rêve d'amour.
> Si tu la cueilles, elle t'appartient
> et devient Ta rose,
> mais elle meurt entre tes mains.
> Si tu la laisses être une rose,
> elle t'embaume de son parfum,
> et de sa couleur caresse ton regard,
> aussi souvent et longtemps
> que sa vie de rose le lui permet.
> Si tu choisis d'aimer,
> aime comme une rose rêve d'être aimée.
> Laisse-lui ses racines pour qu'elle grandisse,

ce sont les racines de sa liberté.
Laisse-la se tourner vers le soleil qui la réchauffe,
c'est la lumière de son existence.
Laisse-la se bercer doucement parmi les vents
qui sèment sa richesse parfumée,
c'est sa façon d'aimer.
Bienheureuse Rose
si tu l'aimes comme elle rêve d'être aimée.
Bienheureux semblable
si tu l'aimes comme une rose.
Si tu choisis d'aimer ton semblable,
laisse-le être ce qu'il doit être
et s'appartenir à lui-même.
Ne cherche pas à cueillir ses fruits
avant qu'il en fasse don de lui-même,
aussi souvent et longtemps
que sa vie le lui permet.
Comme on n'arrache pas le parfum d'une rose,
on n'arrache pas l'amour de son semblable.
Si tu choisis d'aimer ton semblable,
laisse-le être ce qu'il doit être
et aller là où ses racines le prolongent;
ce sont les racines de sa liberté.
Renonce à les couper pour le faire tien
et tes propres racines se libèrent
de l'insécurité qui ronge tes entrailles souffrantes.
Tu ne peux jamais perdre le parfum d'une rose
qui s'appartient à elle-même,
et tu peux la toucher, la sentir, la voir
aussi souvent et longtemps
que sa vie de rose le lui permet,
si tu la laisses être une Rose...

Dans l'état amoureux, d'une façon **involontaire** et **spontanée**, la personne «remarquée» produit un effet d'**attraction**. Sa présence devient source de **plaisir**. Son absence engendre un sentiment de manque. Ce **besoin de l'autre** incite à rechercher son contact. L'être remarqué est **idéalisé** si bien que ses défauts (ce qui nous frustre) sont entièrement voilés par ses qualités (ce qui nous gratifie) qui sont amplifiées. La **crainte de perdre** une telle personne idéalisée éveille l'insécurité affective et le désir de la **posséder** pour sa satisfaction **exclusive**. La jalousie peut faire son apparition quand autrui semble s'intéresser à la personne remarquée. Le temps passe et l'être **possédé** se «fane» au fur et à mesure qu'il est connu dans toute sa réalité et non seulement dans ses qualités idéalisées. Source de plaisir à ses débuts, l'être remarqué devient mal-aimé parce qu'il engendre la frustration. C'est l'étape où bien des relations amoureuses meurent, à moins que l'expérience d'être amoureux évolue vers l'expérience d'aimer, car être amoureux n'est pas aimer, et bien des blessures d'amour découlent de cette confusion.

Tomber amoureux et aimer sont deux expériences distinctes. On ne choisit pas de «tomber» amoureux, et cette «chute» a été préparée depuis bien longtemps. Nous sommes depuis l'enfance programmés pour tomber amoureux d'un certain type de personnes en particulier. On ne tombe jamais amoureux par hasard. Notre inconscient conditionné est en alerte et nous mettra tôt ou tard en présence de la personne qui déclenchera en nous ce mouvement d'attraction et ce sentiment de manque. Notre inconscient agit comme un radar qui détecte le moment venu, la personne idéale, qui n'est en fait qu'idéalisée. On ne peut tomber amoureux de tout le monde ; seules certaines personnes spécifiques stimuleront notre détecteur intérieur, ces personnes dont nous avons besoin ou, plus précisément, dont notre inconscient a besoin pour résoudre les conflits très anciens qui ne se sont jamais résolus. L'inconscient cherche à cicatriser une blessure ancienne jamais complètement guérie, une plaie dont les parois ne se sont jamais complètement refermées. Et le destin fait que la plaie mal guérie s'ouvre à nouveau dans ses tentatives de guérison, la douleur accompagnant si souvent l'état amoureux.

À travers l'état amoureux, l'inconscient ne fait que rechercher une occasion de guérison pour refermer cette plaie interne causée par un amour que nous n'avons jamais reçu autant que nous en avions besoin. État amoureux divin rempli de promesses de bonheur si l'autre consent à marcher à nos côtés dans la même direction ; état amoureux cruel puisque cette marche ne dure jamais aussi longtemps que nous le voudrions ; la marche commune devient deux marches distinctes allant dans des directions différentes qui ouvrent à nouveau les parois de notre blessure d'amour. L'espoir de faire un avec l'autre se transforme en une nouvelle déchirure.

L'être amoureux tente de recevoir, à travers la relation, l'amour de papa-maman qu'il n'a jamais reçu à satiété et, dès qu'il croit posséder cet amour, surgit l'insécurité, car avoir l'amour, c'est aussi avoir peur de le perdre. L'état amoureux est l'expérience qui nous fait le plus ressentir notre manque de l'autre, besoin de cet autre aimé, inséparable de notre crainte de le perdre et de notre désir de l'avoir à soi, pour soi. Ce sentiment de manque n'est que la pointe de l'iceberg de notre insatiable besoin de RECEVOIR, de nous voir comblé par l'autre, comme le bébé est comblé par le sein. Mais le sein nourricier par sa présence devient le sein meurtrier par son absence, et ces cicatrices sont toujours en nous.

L'autre ne répondra jamais complètement à notre besoin, à notre manque, à notre demande, car personne n'est fait sur mesure pour nous. L'état amoureux fait miroiter la promesse de cet autre fait à la mesure de notre satisfaction personnelle, mais l'autre n'est pas que nourricier, il est aussi frustrant. Et il ne peut en être autrement.

L'être amoureux est enchaîné à l'autre pour le meilleur tant qu'il est là, et pour le pire quand la chaîne se rompt dans la douleur de la perte. Lorsque le parfum de la passion nous enivre, qu'on s'y abandonne aveuglément, mais lorsque les épines de la possessivité et de l'insécurité piquent notre conscience douloureuse, qu'on se souvienne que l'état amoureux n'est que PASSAGE, CHEMIN, que l'amour véritable est un long sentier et, qu'à un bout du chemin, il y a la DEMANDE d'amour (être amoureux) et, qu'à la fin, il y a le DON d'amour (aimer).

Derrière un « je t'aime »
se cachent tant de choses voilées
qu'il signifie tout autre chose que l'amour.

Bien des « je t'aime »
sont des « je suis amoureux »
qui veulent dire :
je suis attiré par toi,
je te désire,
j'ai besoin de toi,
je suis dépendant de toi,
je veux recevoir l'amour de toi;
des « je t'aime »
qui sont en réalité des « aime-moi ».

Être en amour et aimer
sont deux expériences différentes,
les confondre,
c'est prendre un pétale de rose
pour la rose...

Être en amour,
c'est vouloir recevoir,
c'est vouloir posséder l'être de l'autre
pour combler notre propre manque à être.
Ce sont des pétales de rose
qu'on désire recevoir en soi
pour s'en faire un bouquet.

mais qui ne sera qu'un bouquet de pétales
et d'épines!
Pas un bouquet de roses...

Aimer, c'est être un bouquet de roses
qu'on peut maintenant offrir
parce qu'en soi,
l'amour a pris racine...

L'état amoureux n'est qu'un PASSAGE qui doit conduire à l'amour en soi, et hors de soi...

Être amoureux n'est qu'un pas dans l'acte d'aimer, il faut prendre garde de ne pas prendre ce pas pour l'étape finale du Voyage.

## Un amour conditionné et conditionnel

Nous ne vivons pas tous nos histoires d'amour avec la même intensité. Le sentiment d'attraction et le désir peuvent prendre la forme de la passion, comme de la simple affinité. De même, une perte d'amour peut conduire à la dépression, au suicide ou à la simple tristesse. Mais, quelle que soit l'intensité de l'émotion amoureuse qui se manifestera en nous, elle sera toujours conditionnée par les expériences que nous aurons vécues dans l'enfance. Les histoires d'amour que nous vivons avec papa-maman conditionnent nos histoires d'amour futures. Ces secondes sont des tentatives pour compléter les premières qui se sont terminées plus ou moins mal. Des facteurs importants entrent en jeu dans le déclenchement de l'émotion amoureuse et de tout le processus qui s'ensuit.

Notre façon d'aimer est donc conditionnée par notre passé et elle est aussi CONDITIONNELLE. Nous aimons, mais seulement à certaines conditions, et sans ces conditions, nous n'aimons plus, nous détestons.

Quand l'autre fait quelque chose que l'on n'aime pas, notre amour s'éteint. Quand l'autre ne nous gratifie plus, n'est plus à notre unique disposition, on se sent frustré, on lui fait des reproches, on le dévalorise. Nous aimons à la CONDITION que l'autre réponde à nos besoins. Tout va bien quand il est gratifiant, il est adorable. Mais lorsqu'il n'est plus nourricier, nous lui en voulons, l'agressivité monte en nous. N'est-ce pas là notre façon d'aimer?

Quand l'autre nous gratifie, nous l'aimons; quand il nous frustre, nous ne l'aimons plus. Voilà ce qu'est l'AMOUR CONDITIONNEL...

Pour vérifier si nous aimons d'une façon conditionnelle, il suffit de nous demander comment nous nous sentons et pourquoi, chaque fois que notre relation affective privilégiée tourne mal. Quand ça va mal, nous allons sans doute prendre conscience que nous sommes frustrés, déçus, et si nous nous demandons pourquoi, nous allons découvrir que l'autre ne fait pas exactement ce que nous aimerions qu'il fasse, que ses comportements ou ses attitudes nous déplaisent, en somme, qu'il ne nous gratifie plus, ne nous satisfait plus, ne nous donne pas ce que nous croyons devoir RECEVOIR et avoir droit. Très souvent, nous devons constater que notre amour est conditionnel aux gratifications que l'autre nous procure. Et ce n'est pas par hasard que nous aimons de cette façon. Nous apprenons à aimer de cette façon, il s'agit de regarder assez attentivement nos histoires d'amour avec papa-maman, comme nous allons le rappeler brièvement.

Au commencement était l'AMOUR INCONDITIONNEL. Bébé est aimé sans condition, on le lave, le berce, le change, le nourrit sans attendre en retour, c'est un amour gratuit. D'ailleurs, à ce stade, tout ce que peut faire le bébé est de recevoir de la nourriture physique comme de la nourriture affective. Pour le nourrisson, toute frustration est vécue comme un danger de mort et toute gratification correspond à un amour infini.

Puis, l'enfant grandit, c'est là que l'histoire d'amour avec papa-maman prend une autre tournure. Commence alors le stade de l'AMOUR CONDITIONNEL. Pour avoir droit à l'amour parental, l'enfant doit dorénavant se soumettre à des exigences, il doit obéir. En retour de son obéissance, il reçoit l'amour des parents. Par contre, s'il ne répond pas à leurs attentes, il perd leur amour, l'enfant devient un « méchant » garçon ou une « méchante » fille. L'enfant ne reçoit l'amour parental que s'il est gratifiant (obéissant) pour les parents.

N'est-ce pas la façon dont nous avons été aimés dans l'enfance : « Si je suis conforme à ce qu'attend et espère de moi papa-maman, j'ai droit à cet amour, sinon... »

Après tout ce conditionnement, il n'est pas surprenant que notre façon d'aimer soit calquée sur ce modèle. En tant que parent, nous aimons des enfants obéissants et, en tant qu'adulte, un partenaire gratifiant. Dans les deux cas, il s'agit qu'autrui réponde à nos attentes et à nos besoins. S'il doit en être ainsi dans notre enfance afin que l'on apprenne les règles du jeu social, peut-il en être autrement dans notre vie d'adulte ?

## L'impasse de l'amour conditionnel

« Aimer l'autre, cela devrait vouloir dire que l'on admet qu'il puisse penser, sentir, agir de façon non conforme à nos désirs, à notre gratification, accepter qu'il vive conformément à son système de gratification personnel et non conformément au nôtre. Mais l'apprentissage culturel au cours des millénaires a tellement lié le sentiment amoureux à celui de possession, d'appropriation, de dépendance par rapport à l'image que nous nous faisons de l'autre, que celui qui se comporterait ainsi par rapport à l'autre, serait en effet qualifié d'indifférent. »

H. Laborit

L'amour que nous vivons est un amour conditionné et conditionnel. Nous aimons à travers les conditionnements de notre inconscient qui nous fait tomber amoureux avec la personne avec qui, à nouveau, nous essaierons de régler des vieilles blessures d'amour enfantines, et nous l'aimons tant qu'elle nous « nourrit ».

Nous l'aimons d'une façon conditionnelle aux satisfactions qu'elle nous procure et nous devons reconnaître que, même avec les meilleures intentions du monde, si elle nous blessait émotionnellement, nous serions incapables de l'aimer inconditionnellement.

La situation semble sans issue. D'une part, il y a l'inaccessibilité d'un amour inconditionnel et, d'autre part, la souffrance découlant d'un amour conditionnel, puisque nécessairement un amour reposant sur la gratification va de pair avec la frustration, car personne n'est préposé à notre satisfaction perpétuelle. Comment choisir entre la souffrance d'un amour conditionnel et l'inaccessibilité d'un amour inconditionnel ?

On ne s'engage pas sur un autre sentier avant d'avoir réalisé que le sentier de l'amour « EGO-iste », CONDITIONNÉ ET CONDITIONNEL, mène à l'impasse. Il faut d'abord parcourir le premier sentier pour en découvrir un autre.

Depuis l'âge où nous avons perdu le droit à l'amour inconditionnel, nous avons dû mettre au point des stratégies de quête d'amour. Nous nous sommes arrangés pour recevoir l'amour vital dont nous avions besoin.

Lorsque l'enfant atteint l'âge où l'amour devient conditionnel, il apprend rapidement que certains comportements et certaines émotions lui attirent des reproches associés à un retrait d'amour. Il lui faut donc éviter ces comportements et ces émotions, ou, du moins, éviter de les manifester aux yeux d'autrui. Une double censure commence alors à s'opérer. Certaines émotions sont censurées en étant refoulées dans l'inconscient, et l'enfant peut effectuer également une censure consciente en réprimant ou en cachant ce qui lui entraînerait une dévalorisation ou une punition. Et, peu à peu, l'enfant apprend que, pour recevoir l'amour dont il a besoin, il lui faut bien PARAÎTRE aux yeux d'autrui. Il apprend à PARAÎTRE et désapprend à ÊTRE.

Au fur et à mesure que le petit ego se construit, nous avons vu qu'il se divise en deux : le MOI pour SOI et le MOI pour AUTRUI. Il y a le moi à soi qu'on ne montre qu'à son propre regard et qu'on cache à celui des autres, c'est l'EGO PRIVÉ ; il y a l'EGO PUBLIC qui, bien sûr, est le plus « beau », celui qui est le plus acceptable mais non le plus vrai. La vie devient alors une cachette ; il ne faut surtout pas qu'autrui découvre notre moi privé considéré comme peu aimable et, peu à peu, on finit par ignorer dans une bonne mesure ce que ce moi privé renferme. C'est là la stratégie standard utilisée dans notre quête d'amour quotidienne. Refoulement, répression, le tout pour bien PARAÎTRE en cachant notre ÊTRE réel qui risque d'être mal accepté. C'est l'opération de base à laquelle personne n'échappe.

Nous sommes souvent plus créateurs que cela dans notre quête d'amour. À cette stratégie de base viennent se greffer les stratégies «optionnelles». L'enfant a tellement besoin d'amour qu'il est prêt à tout faire pour l'obtenir. La séduction est un de ces moyens. L'enfant apprend qu'en étant gentil, poli, doux, il mérite l'amour plus facilement. En grandissant, il essaie de faire plaisir à tout un chacun pour être aimé, tâche particulièrement difficile qui relève du miracle. D'autres apprennent que, s'ils sont parfaits, ils sont alors considérés, estimés et qu'on s'occupe d'eux avec plus d'attention. C'est alors la stratégie de la performance. L'amour ne s'obtient qu'en réussissant dans tout. «Sois parfait et tu gagneras l'amour.» Mais la perfection en tout relève aussi du miracle et comme les miracles sont rares, le besoin d'amour n'est jamais comblé. D'autres apprennent que ce sont dans les moments pénibles qu'on s'intéresse le plus à eux. Alors, il peut se structurer la stratégie de la pitié. «Pauvre de petit moi» toujours aux prises avec la maladie ou la dépression, tout ça dans l'espoir qu'enfin les autres déverseront leur amour pour compenser tous les malheurs rencontrés. Plusieurs autres stratégies peuvent être mises au point dans notre quête d'amour. Les comportements et les attitudes qui, dans notre enfance, payaient le plus en amour deviennent des stratégies utilisées également une fois adulte.

Si l'enfance se termine sur le plan physique, elle se prolonge parfois indéfiniment sur le plan psychologique. Le corps grandit, mais l'enfant en nous reste petit, toujours avide d'amour et prêt à tout faire pour l'obtenir. Et c'est là que le drame commence et conduit à l'impasse. Nous avons appris à recevoir l'amour en affichant notre masque du PARAÎTRE, notre EGO PUBLIC passe-partout, et ainsi, tout ce que nous pouvons récolter est un AMOUR CONDITIONNEL, un amour mérité uniquement à la CONDITION de maintenir ce masque du bien PARAÎTRE. Je ne peux plus me montrer tel que je suis de peur d'être rejeté, de ne plus être aimé et de ne plus m'aimer moi-même. Et la quête se poursuit puisque l'amour reçu n'est jamais assez nourricier.

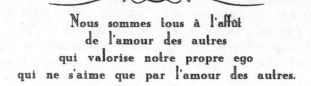

Nous sommes tous à l'affût
de l'amour des autres
qui valorise notre propre ego
qui ne s'aime que par l'amour des autres.

Nous sommes tous avides de cet amour
que nous n'avons jamais reçu à satiété
quand nous en avions si besoin jadis,
puisque « papa-maman » ne l'avait jamais reçu non plus.
Et depuis, c'est la lutte quotidienne
pour retrouver cet amour
qui ne viendra plus jamais,
jamais par nos efforts pour l'obtenir...

Ce jour où nous étions
bercés, changés, lavés, aimés
sans condition est bel et bien fini,
mais nos corps d'adultes
ressentent encore ce besoin nostalgique d'être aimés gratuitement.
Nous nous mettons alors
à bien faire pour autrui
à bien paraître au regard des autres
en espérant cet amour à tout jamais perdu.
Et c'est justement là que nous commettons l'erreur ;
car jadis, nous n'avions rien à faire
pour goûter cet amour sans condition...

Tant que nous achetons un amour qui ne peut être que conditionnel, nous sommes toujours frustrés, puisque le seul amour dont nous avons vraiment besoin est un amour inconditionnel qui seul accorde le droit d'être. Ce dont on a besoin, c'est d'être aimé pour ce que l'on est, non pour ce que l'on fait ou paraît être. Mais voilà que cet amour gratuit ne peut s'acheter, s'exiger, se demander. On ne peut strictement rien faire pour avoir cet amour inconditionnel, si ce n'est que de mourir à son besoin d'acheter un amour conditionnel.

Quand j'ai accepté de ne plus rien faire
pour mériter l'amour de mes semblables,
quand j'ai accepté que l'amour
n'a pas de prix,
ne s'achète pas,
ne s'exige pas ;
quand j'ai accepté tout simplement d'être ce que je suis ;
quand j'ai accepté de tout perdre

au nom de ce que je suis,
alors j'ai accepté de laisser mourir mon paraître,
qui sert d'habit à un petit moi inquiet et avide.

Quand j'accepte de mourir à ma demande d'amour,
alors j'accepte de mourir intérieurement.

Cette mort à cette recherche essoufflante d'amour
qui ne peut être que conditionnel
parce que payé du prix du paraître
donne alors vie à l'être véritable,
et avec lui, à l'amour en soi.
Car l'amour véritable ne touche
que l'être véritable...

Quand on réalise pleinement que l'amour dont on a besoin ne peut être mérité, qu'on ne peut rien faire pour obtenir cet amour parce qu'on a besoin d'être aimé pour ce que l'on est et non pour ce que l'on fait, on réalise alors l'impasse de l'amour conditionnel. Ce que l'on désire ne peut jamais être trouvé de cette façon.

En renonçant à l'amour conditionnel, on s'accorde le droit d'être. L'ego privé peut maintenant grandir hors de sa coquille étouffante. L'amour de soi peut jaillir en soi et se déverser hors de soi. Le renoncement à l'amour conditionnel sème l'amour inconditionnel en soi. Rien ne sert de faire des efforts pour avoir l'amour de ses semblables ; face à l'amour, on ne peut qu'être, qu'être soi.

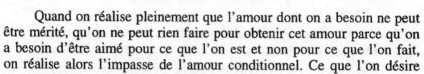

On ne peut rien faire
pour gagner l'amour des autres
ou éviter de le perdre.
Il est là ou il n'est pas là,
un point c'est tout.

Acheter l'amour,
c'est le rendre conditionnel
et rendre impossible l'amour qui coule en soi :
l'amour de soi.
Tant qu'on cherche à acheter l'amour hors de soi,
on ne découvre pas sa véritable source en soi.

Il est une forme d'amour qui relève de l'avoir
que l'on peut acheter et posséder
en payant le prix du bien paraître,
mais l'amour réel relève de l'être
qui ne peut naître
que dans l'abandon de ses efforts pour l'acheter,
puisque par définition,
il est sans condition,
sans prix,
le seul amour remplissant et grandissant
parce qu'il accorde le droit d'être,
le droit d'être jusqu'au bout.

Il est important de bien saisir l'impasse dans notre quête d'amour. Tant que l'on fait quelque chose pour obtenir l'amour des autres, on n'obtient qu'un amour conditionnel. On est alors aimé pour ce que l'on fait ou paraît être, mais non pour ce que l'on est. Lorsqu'on renonce à cette stratégie pour acheter un amour conditionnel, on reconquiert son droit d'être, son droit à l'authenticité en découvrant où est la véritable source d'amour : en soi. Tant qu'on ne renonce pas à bien paraître pour être aimé, on demeure dans l'impasse : on a besoin de l'amour de l'autre pour s'aimer soi-même et si on perd son amour, on perd l'amour de soi.

L'amour réel COMMENCE en SOI,
ne peut être trouvé qu'en soi
quand on renonce à l'attendre HORS de SOI.

Renoncer à acheter l'amour des autres
pour découvrir la source d'amour en soi ;
se libérer de l'amour des autres
pour libérer l'amour en soi.

## La base de l'amour : l'amour de soi

L'enfant est incapable de renoncer à l'amour conditionnel des parents. Pour lui, c'est une réelle question de vie ou de mort et son amour de lui-même est inséparable de l'amour qu'il reçoit des autres. Cet enfant doit grandir pour que l'adulte prenne progressivement sa place. Un cordon doit alors être coupé ; ce ne sont plus les autres qui doivent nous nourrir de leur amour, mais nous devons être capables de produire cet amour en nous-mêmes. Le processus de maturation psychologique exige des ruptures et des renonciations, et celles-ci sont souvent vécues comme une perte totale, comme une véritable mort psychologique.

Or, mourir psychologiquement n'est pas une petite affaire. Cette mort intérieure correspond à la mort de l'enfant en nous qui quête son amour conditionnel quotidiennement. Le chemin pour sortir de l'impasse de l'amour passe par l'authenticité. Tant que mon ego public qui repose sur mon désir de me faire accepter par mon bien paraître ne meurt pas, mon ego privé, qui repose sur le besoin d'être, reste toujours enfant et ne grandit plus, enfermé dans une coquille qui le protège, mais qui l'écrase aussi.

En théorie, le chemin est simple, mais, pour le parcourir, il faut vraiment mourir à son ego public. Et mourir fait toujours peur. Parcourir le chemin qui libère du besoin d'amour conditionnel est un véritable suicide psychologique. C'est une expérience suicidaire pour la personne, la certitude d'une perte d'amour, et pour l'enfant en nous, perdre l'amour, c'est perdre la vie.

Le risque «mortel» d'être soi doit être accepté pour que l'ego privé grandisse et s'unifie en lui-même (croissance psychologique) avant de pouvoir s'unir à plus grand que lui (croissance spirituelle). Il est évidemment possible de se contenter d'un amour conditionnel à son bien paraître toute sa vie, mais il faut dès lors accepter la frustration qui accompagne cette quête d'amour, puisque ce besoin de recevoir ne sera jamais suffisamment comblé dans nos relations amoureuses.

Si le jeune enfant a besoin d'être nourri d'amour, cela est moins vrai pour l'adulte. L'adulte peut survivre sans amour-nourriture, pas l'enfant, et même si dans son enfance une personne a manqué d'amour-nourriture, elle n'est pas condamnée pour autant à quêter l'amour des autres toute sa vie. Si elle est condamnée, c'est surtout à cause de ses propres croyances, non à cause du manque d'amour parental. Comme le disait si bien Sartre : «Un homme peut toujours faire quelque chose de ce qu'on a fait de lui.»

Il est intéressant d'examiner s'il est bien vrai qu'un adulte a BESOIN D'ÊTRE AIMÉ pour ÊTRE BIEN dans sa peau, croyance souvent partagée.

Supposons qu'une personne tombe amoureux de vous. Elle a plein d'amour à vous donner, elle est prête à vous inonder d'amour. Mais il se pose un problème : vous ne l'aimez pas, vous n'avez aucune affinité avec elle et elle ne vous attire même pas. Vous qui avez tant besoin d'être aimé êtes face à une montagne d'amour à recevoir qui vous pèse sur le dos. Vous êtes plutôt embarrassé, ennuyé par cette situation. Vous refusez l'amour qu'on cherche à vous donner.

Changeons la situation. Cette fois, c'est vous qui êtes en amour avec une personne de votre entourage. Soudain, vous vous sentez plein d'énergie, vous vous sentez rempli d'amour à donner. N'est-ce pas

l'amour en soi, jaillissant en soi, qui est remplissant et nourrissant?
N'est-ce pas l'amour qu'on veut donner qui nous remplit, plutôt que
l'amour qu'on veut nous donner?

Si l'autre veut nous donner un amour dont nous ne voulons pas,
nous sommes ennuyé, embarrassé, sans plus de dommages. Par contre,
si l'autre refuse l'amour que nous voulons lui donner, c'est alors la peine
d'amour, la blessure, le sentiment de rejet, d'infériorité, d'abandon. Ce
n'est donc pas le manque d'amour qui est le plus douloureux, mais bien
le refus de l'autre face à notre amour.

Votre voisin peut être amoureux fou de vous, si vous ne voulez
rien savoir de lui, même si vous reconnaissez avoir un grand besoin
d'être aimé, ce n'est pas vous qui allez vivre une peine d'amour, c'est
lui. Mais n'est-il pas étrange qu'on souffre tant d'être incapable de
donner son amour, de s'en faire tant pour quelque chose à donner qui
est refusé? Pourquoi ce refus fait-il si mal? Serait-ce parce que c'est
soi-même qu'on aime à travers l'autre, parce que c'est à soi-même qu'on
donne quand on donne à l'autre? Tout se passe comme si nous avions
besoin de cet autre pour nous aimer, pour sentir en nous cet amour qu'il
fait jaillir. L'autre est un détour que l'on prend pour s'aimer soi-même.
Perdre l'autre équivaut à se perdre soi-même en perdant l'amour de soi.

Comment se sent-on lors d'une peine amoureuse? Minable, sans
valeur, non aimable? Nous ne nous aimons plus quand l'autre n'est plus
là pour recevoir notre amour. S'il s'agissait véritablement d'un don
d'amour gratuit, comment expliquer l'insécurité, la possessivité, la
jalousie qui accompagnent cet amour.

Si l'on a tant besoin de donner son amour à l'autre, c'est parce
que, ce faisant, c'est soi-même qu'on aime à travers lui. L'absence de
l'être aimé coupe la source d'amour qu'il a fait jaillir en soi. On revit
alors ce qui a déjà été vécu dans l'enfance: l'autre est essentiel pour
se valoriser, la présence de l'autre est nécessaire pour s'aimer. Notre
QUÊTE D'AMOUR CONDITIONNEL EST EN DÉFINITIVE UNE
RECHERCHE DE L'AMOUR DE SOI-MÊME.

Dans l'état amoureux (souvent confondu avec l'acte d'aimer),
l'amour de soi, en soi, qu'a fait jaillir l'autre, est le plus nourrissant, le
plus vivifiant, et cette source d'amour continue à couler conditionnellement à sa présence. Perdre l'autre, c'est perdre par la même occasion
cette source d'amour en soi, pour soi. Dans l'amour véritable, la source
d'amour coule toujours en soi, d'elle-même sans qu'autrui la fasse
jaillir; elle coule sans condition, elle coule en soi et se répand hors de
soi, gratuitement, et sans fin. Très souvent, c'est l'expérience de s'aimer
que nous vivons à travers l'illusion d'aimer l'autre. Mais le véritable
AMOUR DE L'AUTRE doit être PRÉCÉDÉ de l'AMOUR DE SOI.

L'amour ne peut être donné que s'il est déjà en soi, comme il peut
être véritablement reçu que s'il est déjà en soi. Sans l'amour de soi,
aucun amour à donner, aucun amour à recevoir, que le vide.

Il suffit d'observer une personne qui ne s'aime pas pour découvrir que l'amour des autres ne l'atteint jamais. Dès qu'autrui s'intéresse au «mal-aimant» de soi, celui-ci devient méfiant, prête des intentions douteuses à «l'aimant». Comment une autre personne pourrait-elle m'aimer alors que je ne m'aime même pas? La personne qui ne s'aime pas ne peut croire qu'autrui s'intéresse vraiment à elle. Lorsqu'une personne ne s'aime pas, qu'elle n'est pas aimable à ses propres yeux, elle est imperméable à l'amour des autres tout en cherchant évidemment à se faire aimer. Elle tolère assez bien l'affection, l'amitié, mais dès qu'un sentiment devient un peu trop intense, elle n'y croit pas, s'y refuse. Elle est convaincue que «l'aimant», si intéressé par sa petite personne, veut l'exploiter. À quoi sert de chercher à se faire aimer si on refuse l'amour qu'autrui veut nous donner?

À travers cette recherche d'amour des autres, à travers nos efforts pour nous faire aimer, c'est l'amour de soi qui est recherché et nous en sommes inconscients. L'autre devient essentiel pour s'aimer soi-même comme les jugements positifs de papa-maman étaient essentiels pour que l'on puisse s'aimer soi-même.

Notre quête d'amour conditionnel est en réalité une tentative pour s'aimer soi-même, mais une tentative vaine. Même si nous récoltons l'amour des autres, c'est notre paraître qui est aimé, notre façade. Nous sommes aimés pour ce que nous paraissons, non pour ce que nous sommes vraiment. Nous sommes imperméables à tout amour qu'autrui voudrait nous exprimer. L'amour ne passe jamais à travers un masque; l'amour a besoin de lumière et de transparence pour se communiquer. L'amour ne passe pas sans la lumière de l'authenticité.

Que d'impasses sur le long sentier de l'amour!

Confondre l'expérience d'aimer et l'expérience d'être amoureux;
croire aimer son semblable alors qu'on ne fait que s'aimer à travers
    lui;
des détours fréquents sur le long sentier de l'amour.
Le seul guide sur ce long chemin est:
l'AMOUR de SOI.
Sans cette racine en SOI,
la route demeure parsemée d'impasses et de pièges.

Il est si facile de tomber dans le piège du «pas assez» qui me conduit à espérer que l'autre me donne à satiété ce que je n'ai jamais reçu de papa-maman.

Il est si facile de tomber dans le piège du «faire pour»; faire tout pour me faire aimer en étouffant mon être véritable sous la belle image du bien paraître.

Il est si facile de tomber dans le piège du « pas possible », doutant constamment que l'autre puisse m'aimer véritablement pour ce que je suis, ne pouvant croire à l'amour de l'autre parce que je ne m'aime pas moi-même.

# L'amour-chemin

L'amour est un chemin qui me conduit tendrement vers toi en passant par le « nous » pour me ramener finalement vers moi-même.

Au début du Voyage, le Chemin ne ressemble pas à un chemin. Il est tellement large que l'on s'y perd facilement. Alors, mes « je te veux » passent facilement au « je t'en veux » au gré des satisfactions et des frustrations qui émergent en moi. « Je t'aime » signifie plutôt « aime-moi », « donne-moi », au lieu de « je donne », « je me donne », « je m'abandonne » à toi. Et si poussent les plus belles fleurs de la passion et du désir, les épines de la possession et de l'insécurité piquent ma conscience souffrante à l'idée de perdre ton amour qui me fait m'aimer moi-même.

C'est d'abord par la route de l'**avoir/recevoir** l'amour que commence le Voyage, là où domine mon besoin d'**être aimé**. Et mes blessures d'amour répétées m'enseignent qu'il n'y a rien à faire pour gagner l'amour, que tous mes efforts sont vains, puisqu'il n'y a **jamais** assez d'amour pour moi en moi. Meurs ainsi l'illusion de pouvoir recevoir l'amour par mes efforts pour bien paraître.

La marche se continue sur un chemin aussi étroit et tranchant qu'une lame. Et l'envie d'abandonner l'emporte souvent sur le courage de m'abandonner à la lame d'amour qui demande la légèreté du vent et la souplesse du nuage pour éviter la souffrante blessure.

Le Chemin emprunte maintenant la haute montagne. Alors s'achève le chemin de l'**avoir/recevoir l'amour** et commence le chemin de l'**être amour**. Ce chemin est sans issue sans l'autre pour guider le passage sur la lame d'amour. Et, pour déposer le pied sans blessure, une question doit être posée avec pleine vigilance :

**Est-ce que j'accorde à mon semblable le droit d'être ce qu'il est dans sa totalité ?**

Si la réponse est OUI, alors mon pied rendu léger se pose sur la lame sans souffrance. Si la réponse est NON, alors je suis encore trop lourd. Mes possessions et mes peurs de ne pas avoir/recevoir m'encombrent et me font souffrir sur la lame tranchante, car sur ce Chemin :

> RIEN À AVOIR,
> RIEN À RECEVOIR,
> TOUT À DONNER,
> TOUT À ABANDONNER,
> RIEN QU'À S'ABANDONNER,
> RIEN QU'À ÊTRE.

Alors, dans ma rencontre avec un autre Voyageur, je dois me rappeler cette question : est-ce que j'accorde à l'autre le droit d'être ? Et c'est grâce aux innombrables NON répétés que l'Amour-Chemin me ramène fidèlement à moi-même après être passé par l'autre. La rencontre avec l'autre me ramène à mon avidité qui crie : « Tout pour moi, tout à moi, rien qu'à moi », croyant à la légitimité de ma demande et terrifié à l'idée de perdre.

En toute vigilance, me poser cette question, cette seule question qui me transforme au fil de mes pas. C'est alors que la percée de l'être s'effectue, transformant le chemin de l'avoir/recevoir l'amour en celui de l'être-amour qui sont deux aspects d'un seul et unique Chemin. Seule l'attitude change en cours de route, me permettant de réaliser non seulement que l'amour n'est pas mérité par mon bien paraître, mais surtout que, de toute façon, l'autre ne pourra jamais combler mon manque d'amour, que ma demande d'amour restera toujours sans réponse, puisque **l'amour relève de l'être, non de l'avoir : l'amour est essentiellement en soi et il est vain de le chercher hors de soi.**

L'amour n'est pas quelque chose que **j'ai** mais quelque chose que **je suis** ; quelque chose qu'il est impossible de perdre, puisque je ne peux perdre ce qui relève de l'être. Ce qui relève de l'être ne peut être que **caché**, ne peut que se **taire**, engendrant le **manque-à-être**. Et c'est justement ce **manque-à-être** qui crée l'illusion d'un **manque d'amour** que j'espère voir comblé par l'autre. Comme l'amour ne relève pas de l'**avoir** mais de l'**être**, **nul** ne peut **avoir de l'amour** pour moi, on ne peut qu'**être amour** pour moi.

Mon manque-à-être, vécu comme un manque d'amour, ne peut se combler que par moi-même, grâce à l'autre, mais non comblé par cet autre. Mon manque-à-être ne se transforme de lui-même que dans le **don**, la **révélation**, la **transparence** de mon **être** à l'autre:

Mon impossible demande d'amour ne peut se combler que dans le don de mon être, don à cet autre, grâce à cet autre, qui me permet d'être ce que je suis dans ma totalité. Ce n'est que dans le **don** et la **révélation** de ce que **je suis** que disparaît l'illusion d'un **manque d'amour**.

Sur le Chemin de l'être-amour, il n'y a rien à **avoir**, rien à **recevoir**, rien à **attendre**, que mon **être** à **tendre** vers l'autre, avec toute la tendresse d'un être qui s'abandonne à l'autre pour l'atteindre au cœur de son être. Tendre son être pour atteindre son semblable en créant l'unité en soi et en l'autre. L'amour devient communion, commune-union.

Ainsi, l'**être** grandit pour devenir **amour** sur le Chemin de l'**être-amour**. Je deviens **libre** d'être, libre de toute attente face à l'autre. Je suis alors apte à tout accueillir de l'autre, à accueillir son être dans sa totalité, qui ne se laisse jamais posséder, qui ne peut que passer en moi en créant l'unité, en créant l'amour.

Rappelle-toi **toujours** que l'**amour** relève de l'**être**,
**jamais** de l'**avoir**.
Rappelle-toi **toujours** que ce qui relève de l'**être**,
**jamais** ne peut se **perdre**,
mais ne peut être que **caché, voilé, masqué, fermé**,
être caché qui crée l'illusion du **manque d'amour**
que tu espères voir comblé par l'autre.

Et l'autre ne peut être que le **témoin**
de ton être qui se **donne**, s'**abandonne**
en **paroles**, en **gestes**, en **émotions**,
afin qu'il devienne un…
Tel est le Chemin de l'être-amour.

## Franchir les étapes de l'amour

L'être humain doit franchir plusieurs étapes dans son processus de développement. Il en est de même dans sa capacité d'amour. L'amour se vit d'abord sous le mode de l'avoir. Il est cette chose que l'on cherche à recevoir. Dès l'enfance, l'amour est indissociable de la nourriture et devient donc d'une importance vitale. Le jeune enfant a besoin de recevoir de l'amour pour survivre, au même titre qu'il a besoin de lait. À son plan de développement, l'amour relève de l'avoir, son être n'ayant pas encore effectué sa percée, pour créer son identité (je suis...).

L'adulte aussi vit souvent l'amour sous le mode de l'avoir, comme cette chose précieuse qu'il faut rechercher hors de soi, pour se sentir enfin comblé. Tomber amoureux nous plonge au plus profond de notre manque d'amour (« J'ai besoin de toi ») qui est essentiellement un manque-à-être-soi, un manque à être-complet-en-soi, d'où la possessivité face à l'être aimé et l'insécurité face à l'éventuelle perte. Ainsi, la personne réussit à s'aimer grâce à la présence (possession) de l'autre, sa perte entraînant la peine d'amour parfois dépressive (« Te perdre, c'est me perdre, car sans toi, je ne suis rien »).

Même hors de cet état amoureux, nos rapports avec autrui reposent toujours sur cette crainte de rejet et de la perte d'amour, puisque l'amour est encore ce quelque chose qu'il faut avoir pour être bien. Nous reproduisons exactement le mode de relation infantile, où l'enfant voit dans le parent celui qui possède le pouvoir de donner ou non son amour. Nous reproduisons nos stratégies de quête d'amour, la principale étant le bien paraître, l'être véritable demeurant caché, redoutant trop le rejet.

Mais vivre l'amour sous le mode de l'avoir conduit aux impasses répétées ; jamais la Terre Promise n'est atteinte, ou, si on y accède, ce n'est que pour un instant toujours trop bref. C'est grâce à ces impasses et à ces souffrances amoureuses que la personne évolue vers un amour vécu sous le mode de l'être.

C'est l'étape de l'authenticité, de l'être-soi qui favorise ce passage de l'avoir-amour vers l'être-amour. L'authenticité amène la personne à privilégier son besoin d'être sur son besoin d'être aimé (avoir-recevoir l'amour). Avant de franchir cette étape de la croissance psychologique, la personne est, sur le plan affectif, toujours « branchée » sur l'autre pour s'aimer elle-même ; elle se promène toujours avec son cordon ombilical affectif lui permettant de se nourrir de l'amour de l'autre. Mais, dans le long processus de croissance, de nombreuses périodes de ruptures sont essentielles pour conduire l'individu à une autonomie plus grande[9].

La maturité affective exige une série de détachements, la personne acceptant alors de perdre ce qui est considéré comme vital, mais qui en même temps devient une limite à son autonomie et à son bien-être.

---

9. « Le détachement joue en réalité un rôle capital dans le développement normal de la personnalité. La psychologie moderne fait ressortir que l'individu ne peut parvenir à une maturité affective équilibrée que par un processus de détachement qui étend ses racines aux régions subliminales du psychisme et élimine les fixations subconscientes acquises dans les premières années de la vie. »

W. Johnston

L'authenticité est une étape de renoncement à un amour vécu sous le mode de l'avoir qui engendre la dépendance et la soumission affectives. L'être-soi l'emporte sur l'avoir-l'amour. La personne accède à une plus grande autonomie et à un nouveau centre de préoccupations ; le « comment être aimé » cède la place au « comment aimer ». La personne se centre de moins en moins sur elle-même et de plus en plus sur autrui.

Franchir l'étape de l'authenticité est certes difficile et de nombreux moyens de compensation sont employés pour tenter de combler ce manque-à-être toujours vécu comme un manque d'amour compensé dans l'avoir : avoir un statut, avoir de l'argent, avoir des biens matériels. Et l'individu est entraîné dans une course sans fin sur le chemin horizontal de l'amour sans jamais réussir à étancher cette soif d'amour que les compensations orales (alcool, drogue, tabagisme) ne satisfont que pour un bref instant. Tant que la personne n'a pas foulé le chemin vertical de l'être, elle demeure aux prises avec ses frustrations existentielles.

La personne qui privilégie son être réel par rapport aux réactions et aux jugements des autres (« Je choisis d'être, quel qu'en soit le prix ») accomplit ce nécessaire détachement qui l'amène à découvrir que la source d'amour est en soi, non hors de soi. Elle découvre qu'elle peut s'aimer elle-même sans dépendre de l'amour des autres ; son cordon ombilical affectif est rompu. La maturité physique et la maturité affective coïncident. Cette nouvelle étape la rend candidate à la croissance spirituelle. La personne est prête à faire un nouveau pas sur la Voie de l'amour universel et de la conscience.

*
* *

De la conscience de la séparation au désir d'union, le dynamisme de l'amour fait son œuvre et incite à la communion avec l'autre. Qu'il s'agisse de l'homme normal ou du mystique, il existe toujours cette recherche de l'unité avec le « non-soi ». Pour la plupart d'entre nous, l'amour consiste à créer cette unité avec une autre personne. Pour le mystique cependant, il s'agit d'une union intérieure avec le divin en soi, l'union du petit soi (l'ego, la personnalité) avec le grand Soi. L'amour peut devenir une voie de transcendance de l'ego.

En se penchant sur le christianisme, reconnu pour être la religion de l'amour, il faut bien admettre que la conception de l'amour qui y est véhiculée n'est pas tellement attirante. Il ne viendrait à personne l'idée que l'on puisse aimer sur commande ; c'est pourtant ce que le Christ livre comme message :

« Ce que je vous commande, c'est de vous aimer les uns et les autres[10]. »

Jean 15,17

Si le Christ commande d'aimer, il ne doit pas faire référence à cette émotion amoureuse spontanée qui émerge hors de notre contrôle. Il est impossible de se soumettre au commandement d'aimer, si cet amour se manifeste au gré des attractions et des répulsions ressenties spontanément. Le Christ ne doit donc pas se reporter à l'amour conditionné qui émerge involontairement lors d'une rencontre. L'intentionnalité et la volonté doivent être caractéristiques de cet amour qui se prête à un commandement. Il ne doit pas s'agir non plus d'un amour conditionnel éprouvé envers seulement ceux qui nous gratifient, puisqu'il est commandé d'aimer tous ses semblables sans distinction[11]. Il faut bien se le dire, cet amour dont le Christ parle ne semble pas promettre le bonheur, des joies et des plaisirs répétés. Il s'agit plutôt d'une discipline spirituelle.

Le Christ parle d'amour inconditionné et inconditionnel : aimer malgré tout, tous ses semblables, comme soi-même. Pour que des Sages commandent d'aimer tous ses semblables comme soi-même en les traitant comme on aimerait soi-même être traité, il est possible de concevoir deux niveaux d'amour. Un amour « humain », ressenti par l'ego, nous faisant percevoir autrui comme séparé de soi et un amour « spirituel », ressenti par le Soi (la dimension spirituelle, divine) qui perçoit l'unité de tout ce qui existe, l'amour de soi et du non-soi ne pouvant être à ce plan de conscience que le même amour universel, inconditionné et inconditionnel.

Il existe un obstacle majeur qui empêche d'accéder à l'amour inconditionnel et inconditionné : l'ego lui-même et sa conscience de la séparation. Dans toutes les traditions et les philosophies spirituelles et mystiques, la conscience illusoire d'être un ego distinct est l'obstacle

---

10. « Jésus lui répondit : "Tu aimeras le Seigneur ton Dieu de tout ton cœur, de toute ton âme, de tout ton esprit. C'est le plus grand et le premier commandement. Le second est semblable au premier. Tu aimeras ton prochain comme toi-même. En ces deux commandements tiennent toute la loi et les prophètes. »

Matthieu 22, 37–40

« Je vous donne un commandement nouveau : que vous vous aimiez les uns les autres, que comme je vous ai aimés. C'est à cela que tous sauront que vous êtes mes disciples, si vous avez de l'amour les uns pour les autres. »

Jean 13, 34–35

11. « Mais je vous dis à vous qui m'écoutez : aimez vos ennemis, faites du bien à ceux qui vous haïssent, priez pour ceux qui vous calomnient... Si vous aimez ceux qui vous aiment, quelle faveur méritez-vous ?... »

Luc 6, 27

le plus important à la conscience «unitive». La «mort» de l'ego constitue une nécessité fondamentale.

Le mystique cherche l'union avec cette dimension divine en soi, ce «Royaume des Cieux» en soi[12], si précieux («Cherchez d'abord le Royaume des Cieux et sa justice et tout cela vous sera donné par surcroît») et de cette union intérieure se réalise l'union avec l'extérieur (le non-soi) liée à une capacité d'amour universel. La différence fondamentale entre l'homme normal et l'éveillé est une question de plan de conscience et de capacité d'amour. L'ego sera toujours incapable de conscience «unitive» et donc d'aimer inconditionnellement; il doit mourir à lui-même.

Toutes les voies spirituelles exigent la disparition de l'ego séparatif: «Le but de l'entraînement spirituel est d'amener les gens à perdre leur moi dans toutes les circonstances de la vie...» (Huxley). La croissance spirituelle conduit à la transcendance de la personnalité et ce n'est que dans la mesure où le «vieil homme» (l'ego) meurt pour laisser place à «l'homme nouveau» (le Soi), que la capacité d'aimer son semblable comme soi-même grandit. L'amour inconditionnel et inconditionné s'incarne.

> «Un tel amour dépasse le désir et toutes les restrictions d'un moi avide et égocentrique. Un tel amour ne prend naissance que lorsque le moi renonce à sa prétention, à l'autonomie absolue et cesse de vivre dans un petit royaume de désirs dans lequel il trouve la fin et la raison de son existence.»
>
> T. Merton

L'ego, la personnalité, doit mourir pour que la capacité d'amour inconditionnel se manifeste. L'ego n'est pas construit pour l'amour inconditionnel, il doit laisser place au Soi, se fondre en lui. L'ego est seulement capable d'amour conditionnel, un ego qui aime uniquement si ses besoins et ses attentes sont satisfaits et s'il reçoit ce qu'il désire, l'absence de réponse à ses désirs convertissant l'amour en haine.

L'ego doit donc mourir, et avec lui le mental et la conscience d'être séparé des autres, pour que naisse la conscience de l'unité. La mort de l'ego, c'est la transcendance de la personnalité et la réalisation de notre unité avec tous les êtres, la réalisation du Soi.

---

12. «(...) tout homme peut révéler la nature du Bouddha qui est au-dedans de lui-même.»

Bouddha

«Le règne de Dieu ne vient pas de manière à se faire remarquer comme si l'on pouvait dire: il est ici, ou: il est là; car voici que le règne de Dieu est au-dedans de vous.»

Luc 17, 21

« Le but avoué du védanta comme du bouddhisme et du taoïsme est que l'homme, alors qu'il est encore sur cette terre, puisse accéder à un état d'esprit qui montre qu'il a pris conscience de son union éternelle et de son identité avec le "Soi de l'univers". »

A. Watts

« (...) tous les maîtres sont d'accord : le seul but de la vie et le seul devoir en tant qu'être humain est la recherche de la Réalisation de Dieu ou du Self (Soi). (...) Et l'ego doit s'effacer pour que le Self se révèle. »

A. Desjardins

Pour continuer à explorer les dimensions de l'amour, il convient maintenant de s'aventurer sur le sentier de la conscience. Le passage de l'amour conditionné et conditionnel à l'amour universel se fond dans le passage de la conscience ordinaire à la conscience unitive. Cette escale importante dans la dimension spirituelle de la croissance nous permettra, par la suite, de mieux incarner l'amour-guérisseur dans le couple, ce haut lieu d'évolution de l'amour-conscience.

## Paroles de sagesse à méditer

« La chose la plus humaine que nous ayons à faire dans la vie, c'est d'apprendre à exprimer nos convictions et sentiments sincères et à vivre en conséquence. C'est la première exigence de l'amour, et elle nous rend vulnérables devant les autres qui peuvent nous ridiculiser, mais notre vulnérabilité est la seule chose que nous puissions offrir aux autres. »

W. Du Bay

« L'amour véritable ne s'impose pas, il se donne sans demander de retour, il est entièrement dépossédé de toute attente et de toute inquiétude. Un tel comportement ne saurait être privé de tendresse, bien au contraire. L'affection chaleureuse est d'autant plus accueillante qu'elle ne tente pas de monopoliser à son profit. Respectueux d'autrui, cet amour limpide provoque autour de lui l'épanouissement et le mûrissement. »

M.-M. Davy

« On est libre de ce que l'on accepte ; on est prisonnier de ce que l'on refuse et avec quoi on entre en conflit. »

A. Desjardins

« La maturité spirituelle est donc toujours précédée d'un développement psychique, d'une métamorphose interne, d'un élargissement de la personne qui dégage le soi profond du petit moi. Aussi longtemps que celui-ci domine, l'individu tourne autour de lui-même en ne pensant qu'à sa propre importance, sa sécurité ou sa puissance. Afin de vaincre le moi, il faut vaincre sa susceptibilité et sa peur de la souffrance. »

K. G. Durckheim

« Le moi doit mourir à sa prétention, à sa souveraineté, à son assurance, à sa suffisance, à son autonomie imaginaire. »

K. G. Durckheim

« La Sagesse, c'est de pouvoir être de plus en plus abandonné, de plus en plus trahi, de plus en plus rejeté et de se sentir de plus en plus en paix, de plus en plus en sécurité. »

Swâmi Prajnanpad

« Le chemin du dépassement de l'ego et de la libération passe par cette nécessité de rendre à "l'autre" sa pleine liberté d'être lui-même... »

A. Desjardins

« L'amour de l'homme libéré libère. »

M.-M. Davy

« L'amour consiste essentiellement à donner, non à recevoir. »

E. Fromm

« Il est à peine besoin de souligner que la capacité d'amour en tant que don dépend du développement caractériel. Elle présuppose que la personne ait atteint une orientation foncièrement productive ; il en est ainsi lorsqu'elle a surmonté la dépendance, l'omnipotence narcissique, le désir d'exploiter les autres ou d'amasser, lorsqu'elle a acquis la foi en ses propres possibilités humaines, le courage de compter sur ses forces pour parvenir à ses buts. Dans la mesure où manquent ces qualités, elle a peur de se donner – par conséquent, d'aimer. »

E. Fromm

« Si vous vous aimez vous-même, vous aimez chacun comme vous-même. Aussi longtemps que vous aimerez quelqu'un moins que vous-même, vous ne réussirez pas vraiment à vous aimer, mais si votre amour s'étend à tous également, vous-même y compris, vous aimerez l'ensemble des êtres comme ne faisant qu'une seule personne, et cette personne est à la fois Dieu et l'homme. Aussi est-il grand et juste celui qui, s'aimant lui-même, aime tous les êtres d'une égale façon. »

Maître Eckhart

« "Aimer son prochain comme soi", cela signifie aimer son prochain comme étant soi-même et le service de son prochain devient un moyen, une technique pour que disparaisse l'ego et se révèle l'Impersonnel universel. »

A. Desjardins

# CHAPITRE 5

# *La dimension spirituelle de la croissance*

> « *Les domaines étudiés par la physique, la psychologie et la spiritualité ont été jugés complètement séparés ou opposés jusqu'en 1975 pour une majorité d'hommes de science, de penseurs ou de philosophes. Quoique ces domaines soient régis par des lois différentes, ils doivent être considérés comme des faces opposées, mais complémentaires d'une seule et même réalité.* »
>
> R. Linssen

Il est difficile d'explorer la dimension spirituelle de la croissance humaine. Cette dimension spirituelle est souvent considérée comme abstraite et se prête à d'innombrables erreurs de parcours. Pour commencer, il est pertinent d'aborder la croissance spirituelle dans son aspect énergétique. La dimension spirituelle peut se comparer à un réservoir d'énergie de croissance avec lequel on entre en contact.

Cette idée d'une force ou d'une énergie supérieure avec laquelle il est possible d'être en contact est très répandue dans le monde et l'histoire. Les Orientaux parlent du prâna, cette énergie universelle, essentielle au maintien de la vie et qui peut être canalisée et donner naissance à de grands pouvoirs[13].

---

13. « Cela nous ouvre la porte vers une puissance presque illimitée. Supposons, par exemple, qu'un homme comprenne parfaitement le prâna et puisse le diriger ; quels pouvoirs sur terre ne posséderait-il pas... ? »

Swami Vivekanada

On retrouve cette croyance en une énergie spirituelle dans les religions primitives[14]. Cette question des grands pouvoirs se retrouve également dans notre propre civilisation chrétienne. Les évangiles se réfèrent à cette dimension énergétique qui peut donner des pouvoirs surhumains[15].

Ces idées d'énergie laissent supposer que la personne qui se « spiritualise » entre en contact avec une force maintenant accessible. Que l'on parle de Dieu, de Bouddha, de Soi, de Moi suprême, de conscience cosmique, il s'agit là d'une même réalité, exprimée d'une façon culturellement différente. Il s'agit toujours de cette même dimension spirituelle et de la même énergie de réalisation supérieure qui peut jaillir en soi. Les différentes religions poursuivent toutes d'ailleurs ce même objectif de relier l'humain au divin, « religion » signifiant « relié ».

L'actualisation de soi, sur les plans personnel et interpersonnel, favorise une meilleure unification de la personnalité. La personne s'accepte mieux, développe une plus grande capacité d'intimité avec elle-même et avec les autres. L'ego s'unifie en lui-même avant de s'unifier au divin en Soi, unification correspondant à la dimension transpersonnelle de la croissance. Cette évolution implique une transformation quantitative et qualitative du niveau d'énergie de la personne. Cette transformation influence sa perception de la réalité et sa façon d'interagir avec son environnement et les autres. Sa conscience se modifie de même que sa façon de vivre l'amour.

---

14. « Les multiples croyances qu'on trouve chez les peuples primitifs peuvent être ramenées à quelques catégories fondamentales (...): la croyance en une force mystérieuse, l'idée d'une force extraordinaire, partout présente et agissante, conçue parfois comme impersonnelle et magique, mais plus souvent comme émanant d'êtres spirituels supérieurs et personnels. Elle peut se concentrer dans certaines réalités de la nature, objets ou personnes, elle peut s'acquérir et se perdre, elle donne à ceux qui la possèdent des possibilités particulières. »

K. Rahner, cité par Sarrazin

15. « En vérité, en vérité, je vous le dis, qui croit en moi fera aussi les œuvres que je fais. Il en fera même de plus grandes. »

Jean 14,12

« En vérité, je vous le dis, si vous avez une foi qui n'hésite point, non seulement vous ferez ce que je viens de faire au figuier, mais même si vous dites à cette montagne : soulève-toi et jette-toi dans la mer, cela se fera. »

Matthieu 21,21

**L'interaction énergie - amour - conscience**

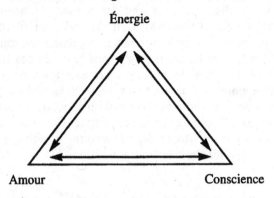

L'Énergie, la Conscience et l'Amour représentent en quelque sorte trois aspects d'une seule réalité. Toutes modifications d'un aspect se répercutent sur les deux autres. Les différentes religions ou philosophies à travers les âges ont privilégié l'un ou l'autre de ces aspects évolutifs. On peut penser au taoïsme et au bouddhisme qui ont mis au point plusieurs techniques pour modifier l'aspect énergétique et le niveau de la Conscience (tai chi, qi qong, yoga, méditation, etc.) tandis que la civilisation chrétienne a privilégié la voie de l'amour dans le quotidien (aimer son prochain comme soi-même).

La notion de chakras, empruntée à la tradition orientale, permet de mieux comprendre le processus de transformation énergétique de la personne. «Chakra» est un terme qui signifie «roue» et qui évoque le cercle et le mouvement. Traditionnellement, on dénombre sept chakras situés le long de la colonne vertébrale, du coccyx jusqu'au sommet de la tête.

**Les chakras**

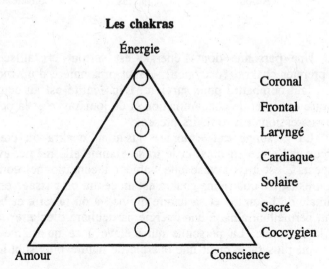

Les chakras ne sont pas des lieux anatomiques du corps physique qui se prêtent à la dissection. Ce sont des centres d'échange énergétique avec l'environnement (l'Univers). Cette énergie, au fil de l'évolution, se purifie, devient plus subtile et change la qualité de conscience de la personne. Selon les traditions, il existe dans le corps des lieux de purification énergétique. Dans le taoïsme, par exemple, on parle de trois «champs du Cinabre» qui sont des lieux d'alchimie spirituelle. Le tantrisme parle de trois Granthis (nœuds) qu'il est nécessaire de dénouer dans le processus d'évolution de la conscience. Ces lieux de purification et de transformation se situent dans le ventre, la poitrine et la tête (la terre, l'homme, le ciel dans la tradition chinoise).

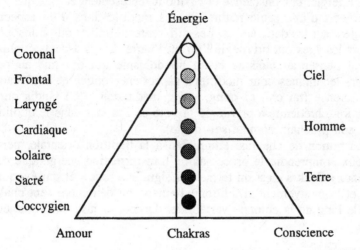

**Chakras supérieurs (ciel) et inférieurs (terre)**

Une personne dont l'énergie est surtout cristallisée au niveau du premier chakra (coccygien) se sent prisonnière d'un monde hostile, où il faut combattre pour survivre. L'insécurité est au cœur de sa vie. L'autre est objet de consommation et de jouissance et la peur de perdre ses possessions est toujours présente.

La personne qui «monte» jusqu'au chakra du cœur cesse de percevoir l'autre en objet et le traite comme elle-même, avec le même respect. C'est à ce niveau que l'amour inconditionnel commence à se manifester. Ce quatrième chakra est un centre de passage entre la nature animale de l'homme et sa nature divine, là où la terre et le ciel s'unissent, permettant ainsi à une énergie particulière d'éclairer la conscience de la personne. La personne qui s'élève à ce quatrième niveau peut recevoir plus facilement une énergie de nature plus subtile qui facilite son évolution[16]. Au septième niveau de conscience, la personne fusionne avec le grand Tout, l'ego séparatif se dissout pour laisser briller la Conscience du Soi universel. C'est à ce stade que la Conscience mystique affirme : «Nous sommes un.» Non seulement la personne traite l'autre comme elle-même, mais elle sent que l'autre est elle-même.

Pour comprendre cette approche énergétique de la croissance, on peut se reporter à la hiérarchie des besoins que nous avons déjà abordée. En montant dans la hiérarchie, les comportements, les attitudes, les valeurs de la personne se transforment pour favoriser une meilleure satisfaction des besoins. Les besoins physiques et de sécurité matérielle, tout en demeurant importants, prennent de moins en moins d'énergie pour obtenir leur satisfaction. L'individu se tourne davantage vers l'aspect relationnel (amour) et spirituel (transcendance) de l'existence.

La vision énergétique de la croissance se veut également hiérarchique. Chaque centre énergétique influence d'une façon particulière la conscience de la personne et sa façon d'être en relation avec son environnement. On peut imaginer chaque centre énergétique comme un ascenseur qui élève le niveau de conscience. La personne voit et accepte de mieux en mieux la réalité telle qu'elle est, fait des liens, des «prises de conscience», augmentant son sentiment de maîtrise sur sa vie. Ainsi, la personne passe progressivement d'une conscience d'ego séparé et souvent en compétition avec tout ce qui l'entoure à une conscience-amour du Soi, où tout sentiment de séparation disparaît.

**Les niveaux de la conscience-énergie**

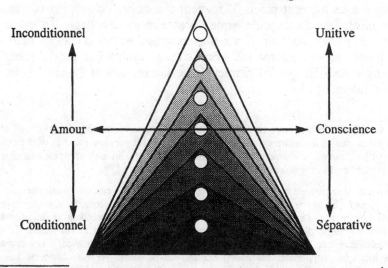

Incondtionnel       Unitive

Amour       Conscience

Conditionnel       Séparative

16. On peut penser à l'adage bien connu : «Aide-toi et le ciel t'aidera» ou «À tout homme qui a l'on donnera et il aura du surplus, mais à celui qui n'a pas, on enlèvera même ce qu'il a.»

Matthieu 25, 26

Dans ce long processus de l'évolution de la conscience, la personne franchit le stade transpersonnel de la croissance qui l'amène à dépasser l'individualité et à s'intégrer de plus en plus à tout ce qui l'entoure. À ce niveau, la personne se sent de plus en plus consciemment reliée à la Vie elle-même, son évolution personnelle étant étroitement solidaire de l'évolution générale.

> « Frédéric Flach a noté que lorsqu'un individu a résolu ses problèmes, qu'il est prêt à déployer imagination et énergie pour affronter le monde, les choses s'ordonnent d'elles-mêmes. Comme s'il y avait collaboration qui semble impliquer la coopération du destin. »
>
> M. Ferguson

Pour sa part, Jung considère que lorsque « nous luttons pour maintenir un sentiment d'autonomie personnelle, des forces vitales viennent nous remettre à flot, qui sont bien plus abondantes que les nôtres ».

Ainsi, plus la personne s'actualise, plus elle dispose d'une énergie nouvelle qui non seulement favorise une meilleure intégration de sa personnalité, mais semble également agir sur les événements de sa vie qui deviennent des occasions d'augmenter sa conscience et sa connaissance d'elle-même[17].

On peut utiliser l'analogie d'un décollage d'avion pour illustrer la continuité entre le développement psychologique et le développement spirituel. C'est au décollage qu'un avion a besoin du maximum de puissance pour s'arracher à l'attraction terrestre. S'il ne dispose pas de cette énergie à ce moment précis, il ne peut s'arracher du sol. Par contre, si l'avion dispose de toute l'énergie nécessaire au décollage, il s'élève et se laisse porter par l'air. Il n'a plus besoin d'autant d'énergie pour se maintenir en vol, comme si l'avion s'était adjoint à sa propre énergie, l'énergie de l'air qui lui permet de se laisser glisser (« Aide-toi et le ciel t'aidera. »).

---

17. La théorie des systèmes peut nous aider à comprendre cette augmentation « d'efficacité » au fur et à mesure qu'un système évolue. Notre cerveau est considéré comme un système ouvert à « structure dissipative » qui fait de lui une véritable machine à croissance, à auto-organisation.

« Plus une structure est complexe ou cohérente, et plus le niveau de complexité suivant sera grand. Chaque transformation rend la prochaine plus probable. Chaque niveau nouvellement atteint est encore plus intégré et connecté que le précédent, ce qui nécessite un flux d'énergie plus élevé pour le maintenir, le rendant ainsi moins stable. Ce qui revient à dire que la flexibilité engendre la flexibilité. Selon Prigogine, à des niveaux plus hauts de complexité, « la nature des lois de la nature vient à changer ». La vie « mange » l'entropie (c'est-à-dire la tendance au désordre et à la désorganisation). Elle dispose d'un potentiel pour créer de nouvelles formes en permettant le bouleversement des anciennes. »

M. Ferguson

Le développement psychologique correspond à ce moment du décollage où l'énergie nécessaire pour nous arracher au poids émotionnel du passé fait souvent défaut. C'est le moment pénible où nous devons apprendre à compter sur nos forces personnelles, comme l'avion doit mobiliser toute l'énergie de ses moteurs pour décoller et profiter du support de l'air. Très souvent, avant de profiter des lois de «l'aérodynamisme spirituel», nous retombons dans les mêmes «pistes» insatisfaisantes, jusqu'à ce que nous réussissions à trouver la façon de nous en sortir. Ceux qui veulent s'éviter l'effort du décollage, par paresse ou ignorance ou par un refus de réflexion et d'actions créatrices, demeurent sur la piste d'envol. Comme le dit Sénèque : «Le destin conduit celui qui accepte ; celui qui refuse, il le traîne...»

Après plusieurs essais infructueux et bien des souffrances émotionnelles, l'envol s'effectue enfin, quand la conscience des lois de la vie s'est élargie suffisamment. Ce travail sur soi permet à la conscience de grandir et de libérer une énergie créatrice.

> «Alors que notre conscience psychique qui choisit, juge, délibère, est dans l'incapacité absolue d'engendrer la sérénité à laquelle elle aspire, la simple présence de la Conscience sans aucune adjonction met un terme immédiat à nos remous intérieurs... sous cette forme, la Conscience se manifeste en tant que niveau supérieur puisque la loi biologique de subordination veut que la simple activité du niveau supérieur subordonne instantanément, sans effort, les niveaux sous-jacents.»
>
> T. Brosse

Plus la Conscience spirituelle s'accroît, mieux elle peut coordonner efficacement les niveaux psychique et physique, et favoriser l'harmonie de la personne. Pour ce qui est de la hiérarchie, c'est la dimension spirituelle qui prend le premier plan et qui est le mieux en mesure d'assurer le plein épanouissement de la personne. Par contre, lorsqu'on redescend les niveaux de la hiérarchie, «les décisions reviennent à des mécanismes semi-automatiques, puis pleinement automatiques, et à chaque passation de commandes à des niveaux inférieurs, l'expérience subjective de la liberté diminue en même temps que la lumière de la conscience» (Koestler, 1960).

Depuis Freud, nous sommes habitués à voir dans l'inconscient un réservoir rempli de surprises désagréables, un bocal à pulsions et à émotions refoulées causées par des expériences traumatisantes. Certes, cet inconscient existe et peut prendre les commandes facilement lorsque la conscience ne peut voir la réalité en face. Mais l'inconscient possède aussi un pôle constructif. Assagioli parle d'un «supra-conscient» qui représente «la source des fonctions et des activités humaines les plus élevées : le besoin de trouver un but et un sens à la vie, les valeurs les plus authentiques, les intuitions les plus élevées du domaine de la création artistique, les découvertes scientifiques, les pensées profondes de la philosophie et de la spiritualité, et les aspirations altruistes à rendre des services humanitaires» (Crampton, 1977). C'est à son contact que «nous ressentons le plus profondément le sens et le but de la vie, que nous transcendons les limites de notre ego séparatif et découvrons une parenté profonde avec l'univers».

De même, Frankl tenait à souligner l'existence d'un inconscient spirituel renfermant des pulsions spirituelles de croissance. L'inconscient ne consistait pas pour lui en un simple réservoir à pulsions sexuelles ou agressives servant à favoriser la perpétuation de la race et la défense de l'individu.

Que l'on parle de supraconscient, de superconscience ou de surconscience, il s'agit bien d'une dimension spirituelle à l'œuvre qui pousse la personne à l'évolution et non seulement à la préservation de son existence. Plus la personne s'actualise, plus elle est susceptible d'entrer en contact avec cette énergie spirituelle et d'accentuer sa croissance transpersonnelle.

## La dimension transpersonnelle de la croissance

La psychologie occidentale se fait silencieuse sur certains phénomènes qu'elle n'arrive pas à expliquer. La psychologie transpersonnelle s'intéresse bien à des sujets comme l'amour, les expériences de conscience mystique, la synchronicité[18], mais cette tendance en psychologie n'est pas représentative de la pratique psychologique habituelle[19].

En Occident, notre vision de la personne humaine repose sur un modèle séparatif; chaque individu est perçu comme séparé des autres et possède une identité indépendante de son environnement. Dans un

---

18. La synchronicité repose sur un lien inexplicable entre un fait intérieur psychique (pensée, émotion) et un fait extérieur physique, la prise de conscience du fait psychique coïncidant avec la manifestation du fait physique. Jung s'est particulièrement intéressé à cette synchronicité qu'il définissait comme des «coïncidences significatives entre des personnes et des événements pour lesquelles une relation d'ordre émotionnel ou symbolique ne peut être expliquée par une série de causes et d'effets».

J.S. Bolen

«En accord avec les théories du célèbre psychologue Carl Gustave Jung, Bender défend la théorie selon laquelle la psyché et la matière semblent inséparablement liées, et que les états psychologiques intérieurs et les événements physiques extérieurs peuvent se retrouver en fusion sous l'effet de puissantes énergies émotionnelles et psychiques.»

A. Vaughan, cité par J.S. Bolen

19. Pour Walsh, «la psychologie transpersonnelle se préoccupe d'étendre le champ de l'investigation psychologique, afin d'inclure l'étude de l'état optimal de la santé psychique et du bien-être. Elle reconnaît la potentialité de faire l'expérience d'un large éventail d'états de conscience, certains d'entre eux pouvant conduire à une extension de l'identité, par-delà des limites habituelles de l'ego et de la personnalité».

tel modèle, il est donc difficile d'expliciter certaines expériences où l'individu a l'impression d'être en contact avec autrui sans passer par des modes habituels de communication. Parmi les expériences «psi» les plus connues, on peut nommer la télépathie, donnant l'impression d'un lien avec autrui, lien télépathique qui, pour Jung, était considéré comme une des facettes de la synchronicité.

Certaines personnes expérimentent spontanément une sensation de lien universel, à travers ce que Maslow nommait des expériences paroxystiques ou expériences-sommets (*peak experiences*). Ces états de conscience s'apparentent à une expérience mystique de fusion avec l'environnement[20] et ces expériences s'avèrent assez fréquentes.

En 1973, le sociologue Greeley, participant à un sondage à l'échelle de l'ensemble des États-Unis, et touchant 1460 répondants, détermina que 18 % des gens contactés s'étaient une fois ou deux dans leur vie reconnus dans la question posée : « Vous êtes-vous déjà senti comme si vous étiez très proche d'une force spirituelle puissante qui semblait vous soulever de vous-même ? »

En 1976, deux chercheurs anglais réalisant un sondage[21] semblable et rejoignant 1865 adultes pris au hasard dans toute l'Angleterre arrivent à un résultat semblable en posant la question suivante : « Avez-vous déjà été conscient de, ou influencé par une présence ou une force différente de votre réalité quotidienne, que cette présence ou cette force soit identifiée ou non à Dieu ? »

Ainsi, environ 20 % des personnes interrogées ont vécu, au moins une fois, une expérience intérieure intense. Parmi les quelques caractéristiques qualifiant ces expériences, l'une d'elles est la perception du réel comme un tout unifié. Parmi les sentiments les plus fréquents que connaissent ces gens durant ces états de conscience, on retrouve : un sentiment de paix profonde, la certitude que tout va bien finir, la conviction que l'amour est au centre de tout. Certaines transformations peuvent résulter de ces expériences, qu'il s'agisse d'une disparition de symptômes, d'une image plus positive de soi, d'un enrichissement du sens à la vie.

Pour Maslow, c'est la structure de la personnalité qui différencie les gens qui ressentent ces expériences intérieures de ceux qui n'en

---

20. « Dans cet arbre, je me suis aperçue. Cet arbre, soudainement, est devenu moi. Moi et mes blessures, moi et ma fatigue, mais aussi et surtout moi et mon goût subit très très fort de vouloir vivre à nouveau. »

Témoignage, cité par Hétu

| 21. | 1973 | 1976 |
|---|---|---|
| Jamais : | 61 % | 63 % |
| Une ou deux fois : | 18 % | 18 % |
| Plusieurs fois : | 12 % | 10 % |
| Souvent : | 5 % | 6 % |
| Toujours : | — | 2 % |

vivent jamais. Ces dernières personnes se caractérisent par « une personnalité coupée de ses émotions et de son monde intérieur, centrée sur l'univers de la rationalité ou de la matière et centrée sur les institutions » (Hétu).

Ces expériences d'unité ou de lien avec le « non-soi » s'expliquent mal dans un modèle de croissance qui exclut la dimension transpersonnelle. En recourant cependant à la psychologie orientale étroitement liée à la spiritualité, une meilleure compréhension de ces expériences unitives devient possible. Depuis des millénaires, les traditions spirituelles enseignent l'unité de l'univers ; tout est relié à tout. L'idée de séparation entre « soi » et le « non-soi » est une illusion.

> « Le concept oriental du monde, écrit F. Capra, est celui d'une unité organique : toutes les choses et les phénomènes que nous percevons avec nos sens sont reliés entre eux et sont la manifestation d'une même réalité ultime. Cette réalité désignée "Sharmakaya" (le Corps de vérité) dans le bouddhisme est simultanément spirituelle et matérielle et, par conséquent, il n'y a pas de différence essentielle entre l'esprit et la matière.
>
> « Suivant la philosophie orientale, notre tendance à diviser le monde que nous percevons en choses individuelles et séparées et celle consistant à nous voir comme des ego isolés dans ce monde est une illusion engendrée par l'étroitesse de notre conscience. Ceci est désigné par le terme "Avidya" (ignorance) dans la philosophie bouddhiste.
>
> « Suivant l'Avatamsaka Sûtra, l'Éveillé perçoit le monde comme un réseau parfait de relations mutuelles où chaque objet séparé – en plus du fait qu'il est immergé dans l'univers Dharmakaya – contient en lui-même tous les autres objets séparés. »
>
> Capra, cité par Linssen, 1982

Tous les sages, quelle que soit leur culture, enseignent la même unité de la réalité.

> « Pour l'homme éveillé, la conscience embrasse l'univers... L'univers devient son corps, tandis que son corps physique devient une manifestation de l'esprit universel. »
>
> Lama Anagarika Govinda

> « Chaque être renferme en lui-même la totalité du monde intelligible. En conséquence, tout est partout, chacun y est tout, et tout est chacun. »
>
> Plotin

> « Tout ce qui est divisé dans les choses basses est unifié lorsque l'âme s'élève à une vie où il n'y a pas d'opposition. Quand l'âme arrive dans la lumière de l'intellect, elle ne sait rien de l'opposition. Tout le temps que l'âme perçoit quelque diversité, elle n'est pas telle qu'elle doit être. Toutes choses sont un. L'unité unit toute multiplicité. »
>
> Maître Eckhart

« La dualité n'existe pas, vous n'avez actuellement qu'une connaissance relative des choses. La diversité n'est pas la nature de la réalité. Le Soi est pure connaissance, pure lumière, dépourvu de toute dualité. »

Ramana Maharshi

« Je suis, à la fois, et le sujet et l'objet de toute expérience ; je suis ce qu'auparavant je tenais pour l'univers ou le non-Soi. »

Shankaracharya

« (...) pour les "gens de la vérité", le monde et leur moi sont une seule et même chose. »

Hamzah Fansuri

« Tout ce qui existe est brahmane et rien d'autre que lui. »

Shankaracharya

« Le monde spirituel est un unique esprit qui se tient, comme inondé de lumière, derrière le monde concret. Lorsqu'une créature vient à l'existence, en elle il resplendit comme à travers une fenêtre. Il dépend du genre et de la taille de la fenêtre que plus ou moins de lumière pénètre le monde. »

Aziz Nasafi

« Afin que tous soient un comme toi, Père, tu es en moi, et moi en toi, afin qu'eux aussi soient un en nous... »

Christ

Tous ces enseignements affirmant l'unité de la réalité peuvent nous laisser indifférents. Toutefois, il est impressionnant de constater que nos propres physiciens occidentaux adhèrent de plus en plus à une même vision unitaire de la réalité et tiennent des discours de métaphysiciens[22].

« La théorie quantique et la relativité impliquent la nécessité de considérer le monde comme un tout indivisé, dans lequel toutes les parties de l'univers y compris l'observateur et ses instruments se fondent et s'unissent dans une même totalité. (...) La nouvelle façon de voir peut être mieux appelée celle de l'indivisible totalité d'un flux mouvant. (...) Dans ce flux, l'esprit et la matière ne sont pas des substances séparées. Ils sont plutôt des aspects différents d'un seul mouvement indivisé. »

D. Bohm

« Le monde physique est selon la physique quantique non pas une structure édifiée à partir d'entités préexistantes, indépendantes et analysables, mais plutôt un réseau de relations entre des éléments dont le sens émerge de leurs relations à la totalité. »

Stapp, cité par Zukav

---

22. Le lecteur pourra constater le rapprochement de ces quelques citations d'hommes de science, la plupart physiciens, avec celles des mystiques citées précédemment.

«Personne, absolument personne, n'a jamais vu un atome. Mais nous sommes si habitués à l'idée qu'un atome est un objet que nous oublions que c'est une idée.»

G. Zukav

«Les atomes se composent de particules, et ces particules ne sont faites d'aucune substance matérielle. Lorsque nous les observons, nous ne voyons jamais aucune substance ; ce que nous voyons sont des systèmes dynamiques se transformant continuellement les uns les autres. Une danse perpétuelle de l'énergie.»

F. Capra

«Toute matière est créée à partir de quelque substrat imperceptible. (...) un néant, inimaginable et indétectable. Mais c'est d'une forme particulière de néant que toute matière est créée.»

P. Dirac

«En physique moderne, la masse n'est plus associée à une substance matérielle et dès lors les particules ne sont plus considérées comme constituées d'une quelconque "matière fondamentale", mais comme des faisceaux d'énergie.»

F. Capra

«Les découvertes de la physique atomique ne nous apprennent sur l'entendement humain rien de totalement étranger, nouveau ou inédit en soi. Ces idées ont une histoire même dans notre propre culture et, dans la pensée bouddhique et hindoue, elles tiennent une place plus considérable et plus centrale. Dans ces découvertes, nous retrouvons une application, un renforcement et un raffinement de l'antique sagesse.»

J.R. Oppenheimer

Étrange discours où physique et métaphysique, science de la réalité «extérieure» et con-science de la réalité «intérieure», en arrivent à une vision unitive de la réalité ; **tout est relié à tout, l'énergie et la matière ne sont que deux facettes d'une seule et même réalité.** Adhérer ou non à cette vision unitive de la réalité ne change pas considérablement nos rapports avec notre environnement, tant que l'expérience directe de cette unité n'est pas vécue.

Cette vision unitive de la réalité permet cependant de mieux comprendre les phénomènes étudiés en parapsychologie, l'influence de la pensée[23] sur la matière ou les événements, la synchronicité. Alors

---

23. «Nous sommes ce que nous pensons. Tout ce que nous sommes vient avec nos pensées. Avec nos pensées, nous faisons le monde.»

Bouddha

«La teneur dominante de vos pensées et de votre volonté contribue à modifier en temps voulu, la condition principale de votre situation. Corrigez vos erreurs mentales et morales, et cette correction tendra à se manifester par une amélioration du caractère de

que la matière et l'énergie ne s'opposent plus, ces liens étranges entre la réalité intérieure et la réalité extérieure, le « soi » et le « non-soi » peuvent trouver une certaine explication.

En thérapie, il est loin d'être exceptionnel que je puisse observer de curieuses opportunités (synchronicités) se manifester dans la vie de mes clients. L'aspect travaillé en thérapie semble attirer certains événements qui permettent de compléter la transformation entreprise. Qu'il s'agisse d'une rencontre amoureuse qui s'amorce et qui permet d'offrir un champ de pratique pour le dépassement d'une difficulté sexuelle ou d'affirmation, ou qu'il s'agisse d'une perte affective qui amène la personne à dépasser sa dépendance affective. Ce qui se produit, arrive à propos et de façon « intelligente ». Je résume ce processus en disant que, lorsque l'intérieur change (structure énergétique), l'extérieur change. Ce qui montre encore une fois le lien étroit entre réalité intérieure (« soi ») et réalité extérieure (« non-soi »). – Petite anecdote avec une touche de synchronicité. La première cliente que je rencontre, après avoir écrit ce paragraphe, me présente une belle carte poétique écrite par son père, offerte pour la Saint-Valentin. Que travaillons-nous intensément depuis trois semaines ? Sa relation au père, fortement chargée de peine et de colère liées au sentiment de ne pas avoir été aimée. C'est la première fois qu'elle reçoit un cadeau (d'amour) aussi touchant... Quel hasard ! Changeons l'intérieur et l'extérieur change.

La démarche de la physique quantique consiste à démontrer expérimentalement cette vision unitive de la réalité, tandis que les mystiques s'efforcent d'atteindre par l'expérience directe cette conscience unitive. Les sages ont donc proposé à ceux qui voulaient faire l'expérience de cette conscience unitive un ensemble de disciplines parfois très variées, mais reposant sur une morale ou une philosophie de vie étroitement reliée à leur connaissance expérientielle de l'unité de tous les êtres. Ce message universel se résume par l'intention de traiter son semblable comme soi-même.

| | |
|---|---|
| Brahmanisme : | Telle est la somme des devoirs ; ne fais pas aux autres ce qui, à toi, te ferait mal. Mahabharata; 5,1517 |
| Christianisme : | Ainsi, tout ce que vous désirez que les autres fassent pour vous, faites-le vous-même pour eux. C'est ce que disent la loi et les prophètes. Matthieu, 7:12 |
| Judaïsme : | Ce que tu tiens pour haïssable, ne le fais pas à ton prochain. C'est là toute la loi. Le reste n'est que commentaire. Talmud, Sabbat: 31a |

l'environnement. C'est dans une mesure convenable que l'homme peut édifier et modifier cet environnement, construire l'histoire de sa vie, modeler sa propre condition par le seul pouvoir de sa pensée, car la destinée, finalement, est méritée par l'individu et faite par son esprit. »

P. Brunton

| | |
|---|---|
| Bouddhisme : | Ne blesse pas autrui comme il pourrait te blesser. Udan-Varga: 5,18 |
| Confucianisme : | Voici certainement la maxime d'amour ; ne pas faire aux autres ce que l'on ne veut pas qu'ils nous fassent. Analectes: 15,23 |
| Islamisme: | Nul de vous n'est un croyant s'il ne désire pour son frère ce qu'il désire pour lui-même. Sunnah |
| Taoïsme : | Considère que ton voisin gagne ton pain, et que ton voisin perd ce que tu perds. T'ai Shang Kan Ying Près |
| Zoroastrisme : | La nature seule est bonne qui se réprime pour ne point faire à autrui ce qui ne serait pas bon pour elle. Daidstan-I-Dinjk: 94,5 (Extraits cités par Robert Blondin, *Le mensonge amoureux*) |

Quelle que soit l'époque ou la culture, le même message d'AMOUR est enseigné. Il semble que le mystique qui réalise la conscience unitive

« découvre aussi qu'un fil secret relie l'homme à l'homme, la créature à la créature, et que la condition du monde est si indivisible que quiconque se croit capable d'assurer son bonheur sans se soucier de ce qui arrive aux autres, est voué à tout jamais aux désillusions les plus amères. Tant que le moi et le toi resteront séparés par un fossé aussi large et profond, le moi et le toi seront condamnés à souffrir ».

P. Brunton

La voie de la Conscience est aussi celle de l'Amour, parcourir un chemin conduit nécessairement à franchir l'autre.

« En outre, comme une personne ayant atteint cet état fait l'expérience d'elle-même en tant que pure conscience, à la fois toutes choses sans pourtant en être aucune, il lui apparaît qu'elle ne diffère en rien des autres ; elle leur est identique. Le mystique parvenu à cet état de conscience, et proclamant "nous sommes un", évoque parfaitement ce type d'expérience. N'ayant d'existant que son soi, la pensée de nuire aux "autres" est, pour lui, dénuée du moindre sens ; on dit même qu'il ne peut pas avoir une telle pensée. Dans cet état, l'attitude naturelle envers autrui est plutôt toute d'amour et de compassion[24]. »

R. R. Walsh

Il est facile de discourir sur l'unité de la réalité, sur la nouvelle vision du monde que propose la physique quantique ou sur les ensei-

---

24. « L'homme sage voit tous les êtres dans le soi et le soi dans tous les êtres ; pour cette raison, il ne peut haïr aucun. »

gnements métaphysiques des Sages, sans grand changement dans nos vies. C'est pour cette raison que les Sages et les mystiques, pour éviter les vaines discussions, se sont centrés sur l'essentiel : l'AMOUR INCONDITIONNEL ET UNIVERSEL, qui est non seulement une morale, mais aussi une voie de réalisation spirituelle comme nous le verrons.

## SI, SUR TON CHEMIN...

Si, sur ton chemin,
tu rencontres ton semblable
et qu'il cherche la chaleur de tes mains,
donne-lui le meilleur en toi,
afin qu'il découvre
puis donne à son tour ce meilleur en lui.

Si, sur ton chemin,
tu rencontres ton semblable
et qu'il cherche la lumière de ton regard,
que ton regard sème en lui
une étincelle de lumière
pour qu'elle devienne source de vie.
Il poursuivra ainsi sa route d'un pas léger
du don que tu lui as fait,
que tu possèdes encore plus
parce que tu as su le donner.

Si, sur ton chemin,
tu rencontres ton semblable,
aie pris soin d'abord de préparer cette rencontre
en t'ayant donné le meilleur en toi :
sois aimant envers toi-même
car c'est cette source d'amour en toi
qui peut abreuver ton semblable.

Si, sur ton chemin,
tu rencontres ton semblable
et que tu veuilles lui donner
le meilleur en toi,
cherche en toi,
car en toi réside toute ta richesse,
une richesse qui peut toujours jaillir en toi,
si tu sais la donner hors de toi.

« Car ce qu'une personne peut offrir à une autre, c'est son être propre, rien de plus, rien de moins. »

Ram Dass

« C'est lorsque vous donnez de vous-même que vous donnez réellement. »

Almustafa

# CHAPITRE 6

# Préparer la Grande Mort : de l'ego au Soi

> « Deux oiseaux, partenaires inséparables, sont perchés sur le même arbre. L'un mange le fruit et l'autre le regarde. Le premier des oiseaux est notre soi individuel qui se nourrit des joies et des peines de ce monde. L'autre est le Soi universel, témoin silencieux de ce jeu. »
>
> Mundaka-Upanishad
> 1500 av. J.-C.

Au début de la trentaine, j'ai vécu une expérience assez étrange. Pendant presque une semaine, chaque matin, je me réveillais avec la joie viscérale d'une certitude : celle de ma mort. Je n'étais pas malade, ni physiquement ni émotionnellement. Cette certitude de ma mort n'était pas dans le sens de son imminence proche, mais elle m'éveillait à la conscience que ma vie prendrait fin, un jour... assez lointain !

La certitude de mourir m'accordait une permission extraordinaire : le droit à l'erreur, car, peu importe mes décisions, en cas d'erreur, celle-ci prendrait fin nécessairement un jour. Cela apportait une nouvelle dimension à ma vie : le droit d'agir, d'apprendre et de faire des erreurs pour apprendre.

L'expérience ne s'est jamais répétée, mais dans ma mémoire demeure ce sentiment de joie intense qui accompagnait cette prise de conscience.

Cette expérience, qui n'en demeure pas moins particulière, ne concerne pas directement ce que j'appelle la Grande Mort, la mort de la conscience égocentrique. J'imagine la joie incommensurable qui pourrait m'envahir si je devais vivre une expérience semblable face à la Grande Mort. Vivre consciemment dans un ici-maintenant la certitude de la mort de l'ego, coïncidant avec la naissance d'une conscience universelle. Mourir à ma vision d'être une personne séparée de tout ce qui m'entoure pour naître à la vision d'être un avec l'Univers, et accomplir ainsi la finalité ultime de la vie sur laquelle insistent toutes les traditions spirituelles.

Mais à quoi ressemble cette Grande Mort de la conscience égocentrique ? Nous n'avons, de la petite mort terrestre, qu'une connaissance indirecte. Nous l'avons tous vue, sans jamais l'avoir vécue. Que savons-nous de la Grande Mort, si ce n'est que le témoignage des sages morts à leur ego et qui enseignent depuis des temps immémoriaux comment se préparer à cette mort égocentrique. Voyons tout d'abord comment vivent l'ego et son P.-D.G. : le mental.

## L'ego et le mental

L'ego est constitué de notre corps et de notre personnalité. C'est notre cerveau avec son système nerveux, notre mental qui nous permet de réfléchir, d'interpréter la réalité, c'est tout notre monde intérieur avec nos émotions, nos désirs, nos valeurs, nos croyances, notre inconscient et les pulsions qui y habitent, etc. Globalement, l'ego est notre système de survie sur cette terre. Il a pour fonction de mettre en branle tous les mécanismes nécessaires à la satisfaction de nos besoins.

Il est gestionnaire de notre survie en nous permettant d'aller chercher dans l'environnement les éléments jugés importants ou désirables pour assurer notre bien-être. C'est un bio-ordinateur programmé pour la gestion de nos besoins. L'ego a pour fonction de réduire la marge entre l'image de ce qu'il veut et l'objet extérieur susceptible de répondre à ses aspirations. C'est en déclenchant une série de comportements qu'il cherchera à réduire la marge entre ce qu'il désire et la réalité extérieure.

En cas d'échec, l'ego est inventif. Il est difficile de tout réussir en une seule fois. Par essais et erreurs, il met au point des stratégies de plus en plus efficaces. Il apprend à contrôler, à manipuler son environnement pour satisfaire ses besoins.

L'ego est donc au service de ma sécurité et de mon bien-être en me faisant rechercher les situations agréables et éviter les douloureuses. Il me confère un certain pouvoir sur mon environnement que je peux contrôler dans une certaine mesure. Selon son histoire, il peut rester fixé à certaines priorités pour lui. Si je me sens très inquiet, que ce soit sur le plan matériel ou affectif, beaucoup d'énergie sera utilisée pour tenter de combler ce besoin : travailler fort pour gagner de l'argent, ne jamais déplaire aux autres pour ne pas être jugé ou rejeté, tout faire pour être aimé, etc. De même, je peux prendre un grand plaisir à dominer les autres, à leur prouver que j'ai raison et qu'ils sont imbéciles, ce qui devient une façon privilégiée de rehausser ma valeur personnelle.

L'ego est très doué pour apprendre et pour mettre au point de nouvelles stratégies de satisfaction, mais peut facilement manquer de discernement et de sagesse. En cas de souffrance, il peut décider de refaire encore la même chose pour essayer d'obtenir un plus grand plaisir. Ainsi, sur le plan de la sécurité, combien de millions me faudra-t-il pour m'assurer une retraite confortable ? Après un million, je ne me sens pas encore assez en sécurité et me voilà en route pour un second million.

L'ego est, par définition, égocentrique, centré sur lui-même, sans oublier qu'il est fondamentalement égoïste. Bien sûr, son éducation morale lui laisse croire qu'il est très altruiste quand il se sacrifie pour les autres, quand il se force pour faire plaisir ou, du moins, pour ne pas décevoir. Mais s'il se regarde honnêtement dans le miroir, il s'avouera probablement que tous ces comportements altruistes visent d'abord à éviter le rejet et la désapprobation et qu'ils sont liés à la peur de ne pas être aimé. L'ego fait rarement les choses gratuitement et de façon désintéressée.

L'ego est un merveilleux instrument de survie. L'inconvénient est qu'il se prend pour un dieu. Il n'est qu'un formidable bio-ordinateur qui s'est pris pour un dieu. Son rôle devrait se limiter à déclencher les actions nécessaires au maintien de la vie, en assurant une certaine sécurité et un bien-être physique. Mais, pour être comblé, l'ego exige que la réalité corresponde **toujours** à ce qui est inscrit au fichier. Dans ce fichier central, les besoins et les désirs sont confondus, une confusion qui augmente considérablement les exigences égoïstes. D'un bio-ordinateur serviable, il est devenu un tyran avec lequel nous nous identifions. Et la vie devient une bataille de tyrans, ego contre ego.

Dans son fichier central, une liste complète de tous les « **j'ai besoin, je désire, je veux** » sommeille dans l'attente et lorsqu'un événement ne correspond pas à un des éléments de la liste, c'est l'alarme générale : tristesse, dépression, colère, peur, haine. Un comportement se manifeste pour tenter de corriger l'événement qui doit se **conformer** à **sa volonté**, à **ses désirs**, à **ses besoins**. Le fichier de l'ego-dieu dit : « Que ma volonté soit faite ! Que les autres se conforment à mes attentes. » Et voilà la véritable erreur, puisque l'Univers ne sera jamais au service de l'ego-dieu. Toutes les traditions spirituelles enseignent le contraire ; l'ego doit suivre le Tao, le Dharma, la volonté du Père.

L'ego ne fonctionne qu'avec l'information qui lui a été fournie. Si on lui a donné comme définition du bonheur : posséder le plus d'argent, de biens, de personnes possible, il accomplira sa mission. Il utilisera son pouvoir pour ramener la réalité extérieure en conformité avec ce qui est inscrit dans sa mémoire. Il mettra au point tous les moyens stratégiques pour réussir à posséder.

Ainsi, l'ego cherchera toujours à rendre la réalité extérieure conforme à **sa** volonté. La marge entre les deux volontés (la volonté de l'ego versus la volonté de la Vie) engendre la frustration et la souffrance, et selon l'ego, c'est la volonté de la Vie (la réalité) qui est dans l'erreur ! L'ego réagit et agit dans le but de convertir **la** réalité extérieure non conforme à **sa** réalité intérieure. Dans plusieurs situations, ce mécanisme de réactions et d'actions pour modifier la réalité extérieure est adéquat et même vital. Mais l'ego manque de souplesse et attribue toujours la cause de ses souffrances à un facteur extérieur à lui. Il se trouve donc justifié de transformer la réalité (les autres) pour qu'elle se conforme à ses attentes, à sa volonté. L'égocentrisme, c'est vouloir toujours avoir raison, tandis que l'Univers a tort. À l'Univers maintenant de réparer son erreur en se conformant aux désirs de l'ego-dieu. Il manque souvent à l'ego la flexibilité, cette capacité d'évaluer si son action doit se diriger vers l'extérieur (changer l'extérieur) ou vers son intérieur (se changer).

C'est notre responsabilité de « nourrir » notre ego pour qu'il parvienne à maturité. Par nourrir, j'entends ici une nourriture appropriée à sa condition de bio-ordinateur. L'ego est toujours disposé à apprendre. Plus il en sait, mieux il peut s'acquitter de sa fonction, plus il peut se satisfaire. Évidemment, la qualité de l'information et surtout sa justesse sont essentielles.

Les sages, en parlant de la Grande Mort, n'avaient d'autre fin que celle d'abolir la souffrance créée par le mental, coordonnateur en chef de l'ego.

*

\*  \*

« Nous créons, chaque instant, nos conditions inauthentiques d'existence et ces conditions dureront aussi longtemps que nous penserons et construirons le monde avec une pensée pathologique. Toute idée, si l'on n'y prend garde, peut être un piège, une force d'auto-asservissement, de dégradation, d'attachement aux apparences, à l'écume des choses et du monde. »

J. M. Kalmar

Voyons comment nos pensées et nos croyances dirigent l'ego sur l'océan de l'existence, en lui épargnant bien rarement les récifs.

Un grand nombre de nos croyances nous viennent de l'enfance, nous les avons adoptées directement de nos parents. Ce qu'ils croyaient est devenu ce que nous croyons nous-mêmes. D'autres croyances se sont formées à partir de nos premières expériences. Nous avons interprété certaines situations à notre façon, nous avons essayé de comprendre ce qui se passait dans notre vie d'enfant et nous en avons tiré une leçon, un savoir, une croyance sur un aspect de la réalité.

Certains mécanismes psychologiques viennent fausser toutes les interprétations qu'une personne peut faire de ses expériences. Le complexe, par exemple, est un de ces mécanismes qui:

> «... met en jeu des influences irrationnelles déformatrices de la perception et de la réflexion, suscite les mêmes défenses-réflexes lorsqu'il est mis en cause, présente une remarquable imperméabilité à toute expérience autre que renforçatrice (...) Quiconque se trouve sous l'emprise d'un complexe prédominant, assimile, comprend et conçoit les données nouvelles qui surgissent dans sa vie, dans le sens de ce complexe...»
>
> R. Mucchielli

Ainsi, la personne qui souffre d'un complexe de culpabilité traduit très souvent les situations interpersonnelles en culpabilisation, situations qui, en réalité, ne se veulent pas du tout culpabilisantes. Le complexe entraîne une fausse perception de la réalité sociale qui est toujours interprétée en fonction du complexe particulier.

Il existe donc certains mécanismes psychologiques qui viennent déformer la perception du réel, mais il arrive aussi qu'une croyance se voie confirmée par les faits objectifs. Tout se passe alors comme si les événements se réalisaient comme des prédictions par rapport aux croyances entretenues. L'individu semble convaincu du sort que lui réserve l'avenir et semble étrangement s'attirer les situations qui confirment sa «croyance-prophétie».

De même, certaines croyances conduisent à de véritables programmations, orientant la façon d'être et d'agir de la personne de façon inconsciente. Ces programmations deviennent des scénarios[25] où l'acteur ne fait que jouer un film existentiel dont il n'est pas l'auteur.

Une programmation existentielle repose sur une croyance, consciente ou inconsciente, qui a tendance à se confirmer et à se renforcer par les expériences qu'elle détermine. En d'autres termes, une fois structurée, elle semble provoquer dans la réalité les expériences qui viennent confirmer cette croyance existentielle. Elle semble créer une prédisposition personnelle à vivre des situations qui sont confirmatrices et renforçatrices.

---

25. L'analyse transactionnelle définit le scénario comme «un programme progressif qui se constitue sous l'influence parentale dans la petite enfance et dirige le comportement de l'individu dans les domaines les plus importants de sa vie». Les scénarios sont conçus pour durer toute la vie, reposent sur des décisions de l'enfance et une programmation parentale continuellement renforcée.

E. Berne

Si, dans certains cas, ce sont des mécanismes psychologiques qui déforment la perception des faits (comme le complexe), dans d'autres cas, les croyances semblent créer des circonstances objectives en accord avec celles-ci.

Plusieurs recherches confirment le pouvoir de nos croyances. Ainsi, le domaine médical s'intéresse à l'effet placebo qui signifie « je plairai ». D'abord utilisé en médecine, il consiste en un médicament sans substance active susceptible d'avoir un effet chimique dans l'organisme. Il s'agit tout bonnement d'une pilule « jouet » ayant l'aspect d'un vrai médicament. Même sans substance chimique active, le placebo se montre très efficace.

La personne qui croit en un traitement et qui en est soulagée, traitement qui s'avère être un placebo, est soulagée par sa propre croyance. Ce traitement peut prendre la forme d'une pilule, d'une manipulation physique, d'un discours, etc.

Les recherches démontrent amplement que l'espoir, la croyance qui accompagne un traitement, possède un pouvoir d'amélioration réel. De plus en plus, en psychothérapie, l'effet placebo est pris en considération[26]. Des clients qui, avant de commencer une thérapie, avaient espoir de changer, ont nettement mieux évolué après six mois de thérapie comparés à ceux qui n'avaient pas confiance en leurs possibilités de changement.

L'effet placebo n'agit pas seulement sur soi ou sur son propre corps. La croyance des soignants agit également sur le succès thérapeutique. Si des médecins administrent ce qu'ils croient être de la morphine, qui est en réalité un placebo, le traitement est deux fois plus efficace que s'ils croient donner un simple analgésique. L'effet « nocebo » s'observe également. Si on donne à des sujets une substance inactive en leur disant qu'elle provoque des maux de tête, les deux tiers des sujets ressentent effectivement un mal de tête (M. Ferguson).

Le pouvoir de la pensée peut même affecter la matière. « On a pu montrer que l'intention d'une personne interagit avec la matière à distance, affectant les particules dans une chambre à bulles, des cristaux, le taux de désintégration de matière radioactive. » (M. Ferguson.) On parle alors d'intentionnalité. Plusieurs recherches démontrent qu'un sujet peut intentionnellement influencer un lancement de dés et obtenir les faces qu'il souhaite plus que le simple hasard ne le permettrait. Les succès déclinent au fur et à mesure que la motivation décroît.

---

26. « De plus en plus, la recherche montre que ce qui est couramment considéré comme superficiel ou insignifiant, c'est-à-dire la foi dans le thérapeute, l'espoir d'être secouru, l'encouragement, la suggestion, comptent parmi les facteurs les plus importants de la guérison. »

S. Garfield, cité par Van Rillear, 1980

Si une croyance peut agir sur notre état de santé ou de maladie, si l'intentionnalité peut influencer des objets matériels, nos croyances n'auraient-elles pas le pouvoir de déterminer les événements en accord avec celles-ci ?

Pour expliquer comment prend racine une croyance dans notre subconscient, l'analogie de la graine qui pousse en terre est souvent utilisée. L'idée, la pensée, la croyance représentent la graine et le subconscient, la terre. Or, lorsqu'une pensée (positive comme négative) est entretenue suffisamment longtemps par la conscience, la pensée s'implante dans le subconscient et donnera ses fruits. Est récolté dans la réalité matérielle ce qui a été semé dans la réalité spirituelle de la pensée.

> « Vous êtes un jardinier et vous plantez toute la journée des semences (vos pensées) dans votre subconscient. Vous allez récolter dans votre corps et dans votre vie ce que vous semez dans votre subconscient (...) Tout ce qui vous arrive, les événements, les conditions et vos actes mêmes sont fonction des réactions de votre subconscient par rapport à vos pensées. »

> J. Murphy, 1971

La plupart des livres populaires traitant de «pensée positive» respectent l'enseignement ésotérique pour qui la pensée est toujours la cause d'une manifestation extérieure, qui en est l'effet[27].

Ce qui est entretenu par le conscient finit par s'enraciner dans le subconscient qui possède le pouvoir de créer les conditions d'existence en accord avec ce qui a été pensé.

Donc, le mental, ce monde de nos pensées et de nos croyances, conscientes et inconscientes, s'avère terriblement puissant par son pouvoir de création, très difficilement accessible et réfractaire au changement[28] et souvent menteur parce qu'il déforme la réalité.

---

27. « Toute pensée est une cause et toute condition, un effet. »

> J. Murphy, 1971

« Mais, même les causes profondes de l'épreuve qui t'atteint en vue de te rendre plus parfait, sont le fruit de ta propre pensée. Car toujours les faits de la vie extérieure sont le reflet matériel de l'image spirituelle que tu te fais de la vie. »

> K. O. Schmidt, 1956

« Vos pensées sont des choses réelles qui viennent à se matérialiser (...) En ce moment même, vous mettez en mouvement des courants de pensées qui, en temps voulu, vous attireront des personnes et des événements en harmonie avec ce qui prédomine en vous. »

> W. W. Atkinson, 1981

28. « Au centre de ce système, il y a une constellation de croyances informulées mais fondamentales concernant la nature du moi, des autres, de l'univers; concernant ce qui dans la vie a le plus de valeur, et enfin concernant ce que chacun considère comme

« De celui qui l'a maîtrisé, le mental est le meilleur ami ; mais, pour celui qui a échoué dans l'entreprise, il devient le pire ennemi. »

Bagavad-Gita

« Celui qui est le maître de ses pensées est plus grand que celui qui est maître du monde. »

Bouddha

---

**Le mental, c'est ce qui voile ce qui est et fait voir ce qui n'est pas.**

---

Voilà en quels termes les sages parlent du mental, qui sert en quelque sorte de périscope à l'ego. Et l'ego-dieu ignore tout de cette vérité. Imaginons un sous-marin dont le périscope fait voir les objets d'une façon déformée, tantôt plus à gauche ou plus à droite, ou plus près ou plus loin. Difficile de viser juste ! En ignorant que ses instruments de guidage sont défectueux, l'ego vit plus souvent dans la souffrance que dans le bien-être comme il le souhaite. L'ego-dieu ressemble plus à l'ego-diable condamné aux flammes de l'inconscience.

La Grande Mort, c'est d'abord mourir aux illusions projetées par le mental menteur.

## Déjouer le mental menteur

Nous avons un immense talent pour interpréter la réalité avec une créativité horrifiante.

Vous attendez votre amoureux pour souper à 18 heures. Il est 19 heures. Que vous dites-vous ? Comment vous sentez-vous ?

---

l'autorité dernière. L'individu ne remet pas en question la validité de ces croyances et valeurs fondamentales. Elles sont élaborées dans la prime enfance et sont fortement influencées par l'environnement ; une fois établies, elles résistent à tous les changements que la vie impose. Ce noyau de croyances est à la base de notre système global de croyances. Des expériences nouvelles pourraient en principe altérer le noyau de base, mais d'ordinaire toute idée ou perception nouvelle est récupérée et intégrée dans le système existant. »

Harman, 1973

« En fait, selon Powers, le système nerveux est ainsi fait que les modèles qui commandent la conduite et la perception ne remontent à la conscience que lorsqu'il y a changement de programmation. C'est pourquoi les codes les plus importants qui commandent notre existence fonctionnent au-dessous du niveau des contrôles et ne se prêtent pas à l'analyse. »

Hall, 1979

a) Il lui est arrivé un accident : inquiétude, angoisse.
b) Il a oublié. Donc, il ne m'aime pas : tristesse, désespoir.
c) Il le fait exprès : agressivité.
d) Il a été retardé au bureau et n'a pas pu me prévenir : légère impatience.
e) Je vais lire en attendant : bien-être.

Quelles que soient les causes de ce retard, vous ne pourrez en vérifier l'exactitude que lorsque la personne attendue prendra contact avec vous. Certaines personnes ont tôt fait de choisir parmi les interprétations les plus douloureuses, se laissant piéger par leur mental menteur, alors que le simple bon sens incite à choisir l'interprétation la moins pénible, en attendant de pouvoir vérifier.

Je déforme la réalité, je l'interprète en fonction de ma propre histoire personnelle et il ne me vient pas à l'esprit de vérifier ma façon de penser. Nos émotions douloureuses sont souvent causées par nous-mêmes, et non par la réalité extérieure. **C'est notre discours intérieur qui est la cause première de notre malheur.**

Voici, par exemple, la vision du TOUT OU RIEN, des lunettes idéales pour le perfectionniste. Il arrive premier à un concours, c'est bien ; il arrive deuxième, c'est un raté qui dégage des signes de dépression. Il est incapable de s'évaluer correctement.

La personne piégée par un FILTRE MENTAL, quant à elle, ne retient que les aspects négatifs d'une situation. Elle retient amèrement la critique de son patron et oublie les compliments qu'il lui a faits. Le mental menteur sait nous pousser parfaitement dans les extrêmes de L'EXAGÉRATION ET DE LA MINIMISATION. C'est l'art de facilement grossir nos erreurs par 10 et de réduire nos réussites par 10, ce qui nous donne droit à une dépression parfaite de 100 %.

Le mental menteur fait porter aux gens des lunettes déformantes sans qu'ils s'en aperçoivent. Tel le modèle sport pour les gens actifs, qui n'ont pas le temps de persévérer : CONCLUSIONS HÂTIVES. Après deux peines d'amour consécutives, ils concluent que l'amour n'est pas pour eux. Ça ne marchera plus jamais et, de plus, jamais deux sans trois... !

D'autres portent le modèle GÉNÉRALISATION EXCESSIVE. Véritables boules de cristal, ces lunettes permettent de voir l'avenir : le malheur d'un jour se reproduira toujours...

Le mental peut bel et bien voiler ce qui est et faire voir ce qui n'est pas. Comment s'en rendre compte ? Je vous suggère un petit exercice à faire pendant un mois. Chaque fois qu'un événement vous contrarie, remplissez ce tableau.

| Ce qui arrive | Réactions spontanées | Réactions rationnelles |
|---|---|---|
| (situation) | (ce que je me dis, ce que je ressens) | (autres façons de « voir » l'événement) |
| J'ai appelé Julie il y a deux jours et elle ne m'a pas retourné mon appel. | Elle ne veut rien savoir de moi, je me sens triste. | Son répondeur a-t-il bien pris mon message ? Est-elle vraiment chez elle ? |

**Ce n'est jamais l'événement comme tel qui me fait du mal, mais l'interprétation, l'opinion que je me fais de cet événement.** Si j'ai le pouvoir de me faire souffrir par mes discours intérieurs négatifs, n'ai-je pas le pouvoir de me guérir ?

L'ego qui se rappelle que c'est son discours intérieur qui le fait souffrir et non l'événement comme tel réajuste son périscope et agit d'une façon plus satisfaisante. Maintenant qu'il corrige mieux ses fausses perceptions de la réalité, il doit apprendre à l'accepter telle qu'elle est.

## Accepter la réalité

Le point de vue égocentrique reste toujours le même : « Que ma volonté soit faite » et comme le dit si bien K. G. Durkheim : « Une des tâches les plus difficiles données à l'homme est de renoncer à lui-même, au désir de se mettre en avant, à vouloir que le monde corresponde à l'idée qu'il s'en fait. »

L'ego n'accepte que la réalité conforme à ses désirs. L'autre réalité, celle qui le contrarie dans ses plans, se voit refusée ou niée. Ainsi, le yoga de l'acceptation inconditionnelle commence par un non qui devient oui à tout ce qui est, un oui à tout ce qui émerge à la conscience.

Accepter ne signifie pas être d'accord. Personne n'est d'accord avec un homme qui bat sa femme ou une femme qui bat son enfant. Mais il est possible d'accepter ce **fait**, cette **réalité**. Personne n'approuve la violence, mais la violence fait partie de la réalité et **doit être acceptée inconditionnellement**. Tout ce qui arrive doit être reconnu, accepté, du stylo qui permet d'écrire jusqu'à l'accident de voiture qui décime toute une famille, parce que tout ça existe, tout ça arrive. Mais l'ego a peine à reconnaître ce qui le fait souffrir et le prive de ses biens matériels et affectifs. Il criera NON à cette réalité qui pourtant, existe bel et bien.

Pour mieux comprendre le processus de négation de l'ego, on peut étudier les différentes phases qu'un patient condamné à mort par un diagnostic médical est susceptible de traverser.

Le premier NON peut prendre la forme du déni : « Non ! ce n'est pas possible, il doit y avoir une erreur, ça ne peut être aussi grave. » Et le malade peut faire comme si tout allait pour le mieux. Mais les symptômes finissent par s'aggraver et rendent le déni difficile. Le NON peut prendre alors la forme de la révolte : « Pourquoi moi, c'est injuste ! »

La colère passe et le patient peut tenter de négocier avec le ciel : « Si je survis, je promets de... » L'ego a compris que le déni est inutile, que la colère est vaine, pourquoi ne pas négocier pour éviter de tout perdre. Après l'échec de la négociation, le NON peut prendre la forme de la dépression. L'ego s'avoue vaincu et, de toute évidence, la mort est au rendez-vous.

Le malade peut accepter enfin la réalité, la seule étape où il peut ressentir la sérénité qui l'accompagne jusqu'à son dernier rendez-vous.

Chaque fois qu'il y a un NON, la souffrance émerge. Quand enfin le OUI apparaît, le calme s'établit. La volonté de l'ego coïncide avec la volonté de l'Univers. L'ego devient un en lui-même, en mettant fin à toutes ses luttes pour masquer la réalité.

La souffrance de l'ego découle du fait qu'il est prisonnier d'une forme ou l'autre de refus, plus ou moins similaire à ce qu'éprouve un patient qui apprend qu'il va mourir. L'ego se libère de sa souffrance en cessant de nier ou de refuser. L'ego se libère par l'acceptation.

La réalité acceptée passe ; l'ego acceptant passe également en avançant sur le chemin qui doit l'unir au Soi. Car, c'est bel et bien la destinée de l'ego que d'être un passage vers le Soi.

Le sentier de l'acceptation inconditionnelle est un chemin suicidaire pour l'ego. De même que le sentier de l'authenticité conduit à la mort de l'ego public, c'est l'ego dans sa totalité cette fois qui disparaîtra par la voie de l'acceptation inconditionnelle. Chaque réalité acceptée est un pas vers la réalité du Soi, ce témoin en soi auquel on accède en accueillant tous les aspects de la réalité qui émergent à la conscience. Ce chemin est une ascèse difficile, c'est un yoga de la soumission à la réalité.

> « Quiconque le désire peut tirer toute la mortification dont il a besoin et, en vérité, bien davantage encore, des incidents de l'existence ordinaire et quotidienne sans jamais recourir à des pratiques corporelles rigoureuses... La mortification, la meilleure, est celle qui a pour résultat l'élimination de la volonté personnelle, de l'intérêt personnel, des pensées, des souhaits et des imaginations centrés sur le moi. Les austérités physiques extrêmes ont bien peu de chances d'effectuer ce genre de mortification... Mais l'acceptation de ce qui nous arrive au cours de notre vie quotidienne a des chances, elle, de produire ce résultat. »
>
> A. Huxley

Les maîtres spirituels insistent particulièrement sur l'acceptation de la réalité quotidienne qui fait partie du chemin vers la réalité ultime.

« Il n'y a pas d'issue en dehors de l'acceptation. Il ne devrait pas y avoir de refus sous quelque forme que ce soit. La frustration et la dépression surgissent uniquement parce qu'il y a refus et négation. »

Swâmi Prajnânpad

« Le véritable objet (du zen) est de voir les choses telles qu'elles sont, d'observer les choses telles qu'elles sont, et de laisser passer toute chose comme elle passe. Nous devrions accepter les choses juste comme elles sont. C'est ainsi que nous comprenons tout, et que nous vivons dans ce monde. »

Shunryu Suzuki

« (...) La seule façon d'accéder à la non-dualité métaphysique est de vivre en adhérant à ce qui est, dans l'instant. Aucun disciple ne peut en effet prétendre avoir un jour la vision de l'absolu s'il continue d'être en désaccord avec les mille et un détails dont son existence est tissée. »

V. Loiseleur

Théoriquement, le chemin de l'acceptation est simple à comprendre, mais c'est un chemin contre nature pour l'ego car, par nature, il refuse tout ce qui le frustre, et ne dit oui qu'à ce qui le gratifie. Il faut s'attendre à ce qu'il résiste à s'engager totalement sur ce sentier. Et plus l'ego a de la difficulté à accepter ce qui se passe dans son propre monde émotionnel, plus il a de la difficulté à accepter son semblable et les événements de la vie quotidienne. L'acceptation de ce qui arrive hors de soi est reliée à l'acceptation de ce qui émerge en soi et tout ce qui est au fond de soi sans être accepté alimente notre mal-à-vivre existentiel. Plus nous refusons notre réalité intérieure (émotions, pensées, désirs) parce que nous la jugeons mauvaise, plus elle s'accroche à nous et tente de refaire surface à la moindre occasion. Il faut voir tout ce qu'il y a à voir en soi, même si ce regard intérieur soulève des émotions douloureuses.

« Pour travailler sur ses émotions, il faut apprendre à les connaître, à les étudier et faire preuve de neutralité à leur égard. Le travail sur les émotions passe donc par l'acceptation inconditionnelle de nous-mêmes, de tous les phénomènes qui se déroulent en nous. Il faut dépasser tout jugement dualiste de bien et de mal quand on s'étudie et se contenter d'observer ce qui a lieu. »

V. Loiseleur

Nous devons retrouver notre faculté d'être en contact avec nos émotions sans les juger, puisque le jugement constitue le voile qui empêche de faire la lumière sur ce qui nous habite, sur ce que nous sommes.

«Il faut d'abord regarder ce qui constitue l'ego avant de pouvoir le détruire. (...) C'est le refus d'accepter sa nature qui crée l'ego. Le refus d'être tel que l'on est, le refus de votre Tathata, de ce que vous êtes. Si vous vous acceptez, l'ego ne peut exister. Si vous ne vous acceptez pas, si vous rejetez votre état, si vous créez des idéaux pour le combattre, l'ego ne pourra pas disparaître, parce qu'il se nourrit d'idéal. (...) Soyez un! C'est par l'acceptation que vous deviendrez un et non pas par le combat. Acceptez le monde, acceptez votre corps, acceptez tout ce qui lui est inhérent. (...) Soyez simplement conscient de ce que vous êtes.»

Rajneesh

«L'ego, c'est ce qui fait qu'on ne s'aime pas soi-même, et c'est parce qu'on ne s'aime pas soi-même que l'ego subsiste et se maintient.»

A. Desjardins

Ainsi, l'obstacle majeur sur le chemin de l'acceptation inconditionnelle est le **jugement**; le jugement de son semblable, comme le jugement de soi-même.

La voie de l'acceptation inconditionnelle passe par la connaissance et la conscience de soi, nécessaires à la Conscience du Soi impersonnel. Et tout ce qui arrive, en soi comme à l'extérieur de soi, doit être signé par le oui, sans aucun jugement. Le oui, ces trois lettres qui ouvrent les portes de la conscience.

## O.U.I.
### Trois lettres passe-partout sur le chemin de la conscience

Le **OUI**: **Ouverture** à ce qui **est**; **Unification** de notre être; **Intelligence** active en nous.

L'**OUVERTURE** consiste à voir ce qui **est**.

L'**UNIFICATION** consiste à voir ce qui **est**, sans comparer avec ce qui aurait dû être. Devenir **un-avec-ce-qui-est** en faisant disparaître la marge entre ce qui est et ce qui n'est qu'une idée : ce que l'on souhaiterait qui soit.

L'**INTELLIGENCE ACTIVE** en soi engendre le savoir-faire avec ce qui **est** : maintenant que cela **est**, qu'est-ce que je **fais** avec cette réalité?

Trois lettres passe-partout sur le chemin, un mot clef sur le chemin de la conscience. Un mot plein de pouvoir qui transforme la souffrance en conscience.

Voir ce qui **est**, **sans comparer** avec une idée et **savoir-faire** avec ce qui est arrivé. Les «Non! Non! Non! Quelle horreur, c'est impossible, c'est trop!» se transforment en **OUI**.

### Ce qui est :
L'auto ne démarre pas et je suis en retard...

**Ce qui aurait dû être :**
L'auto aurait dû démarrer parce que je suis en retard...

L'auto qui ne démarre pas est un événement bien réel, mais l'auto qui aurait dû démarrer n'est qu'une idée engendrant la marge entre ce qui est et ce que j'aurais voulu qui soit. **Créer la marge entre ce qui est (l'événement) et ce qui devrait se passer (une idée, un discours intérieur) est INUTILE.** Il n'y a que ce qui **est**.

L'auto ne part pas. **OUI**, elle est en panne et je suis en retard. Ouverture : je m'ouvre les yeux sur une réalité frustrante ; **Unification** intérieure : elle est en panne, un point c'est tout, et je dois aller travailler ; **Intelligence** agissante en soi : qu'est-ce que je fais maintenant ? Je prends mon vélo, un taxi, je demande à un ami de venir me reconduire, j'appelle pour prévenir de mon retard, j'appelle le garagiste...

Je m'ouvre à la réalité au lieu de dire **NON**.

Je suis un-avec-cette-réalité puisque je ne compare pas avec ce qui aurait dû être et qui n'existe que dans ma tête.

Je fais un-avec-cette-réalité en agissant avec intelligence ; qu'est-ce que je fais maintenant ?

**OUI**, un mot passe-partout, un mot de passe sur le Chemin. Mot simple de trois lettres, si simple à dire, mais si difficile à vivre. Mot encore plus important que le mantra le plus sacré et qu'on oublie si facilement.

Et pourtant, pour nous rappeler ce **OUI** libérateur, nous pouvons toujours compter sur le **NON**. Il nous rappelle que nous ramons à contre-courant, que nous nions une réalité, que nous sommes hors du réel.

« Mon conjoint me trompe. Non ! Je ne peux pas le prendre. » Cela ne devrait pas être. **Refus = souffrance.**

« J'ai le cancer et je vais mourir à trente ans. Non ! C'est injuste. » Cela ne devrait pas être. **Refus = souffrance.**

« J'ai fait faillite, j'ai tout perdu. Non ! Je ne vaux plus rien. » Cela ne devrait pas être. **Refus = souffrance.**

**Cela ne devrait pas être (mental menteur) et, pourtant, cela est...**

Mon conjoint me trompe. **OUI**, c'est la réalité et une réalité qui me blesse. Maintenant, qu'est-ce que je fais avec ce qui est arrivé ?

Je vais mourir du cancer à trente ans. **OUI**, c'est une réalité qui me tue. Maintenant, qu'est-ce que je fais avec cette réalité ?

J'ai fait faillite et je suis ruiné. **OUI**, je n'ai plus un sou. Maintenant, qu'est-ce que je fais avec ce qui est arrivé ?

Le **non** fait partie du chemin qui conduit au **oui**. L'enfant passe par une phase où le non fait loi. À tout ce qu'on lui offre, il dit non, mais agit en oui. Le non est nécessaire au oui.

C'est par le non et la conscience souffrante qui l'accompagne que l'émergence du oui et l'évolution de la conscience s'effectuent.

Le **OUI** est le mantra le plus puissant, le plus mortel qui soit pour l'ego. Vivre dans la vigilance du **OUI** pour mourir à soi et naître au Soi.

Dès que le malaise émerge, dès que le mal-être surgit, symptôme du non, il est utile de se poser une question : y a-t-il quelque chose que je refuse, que je n'accepte pas, une réalité que je voudrais autre ?

La souffrance est associée au non. Je le découvre. Oui, c'est bien vrai, il y a une réalité à laquelle je dis non et j'en souffre.

La souffrance est accompagnée du non, c'est vrai. Qu'est-ce que je fais maintenant ? Et même s'il n'y a rien de concret à faire, même si je suis réduit à l'impuissance, c'est toujours cette question qui assure le passage du **NON** au **OUI**, passage de la souffrance à la conscience.

La marge entre ce qui **est** et ce qui **devrait être** disparaît. La marge entre la souffrance et la conscience disparaît. Qu'est-ce que je fais maintenant ? Une question qui efface toutes les marges. Je change ce que je peux changer, et, dans l'impossibilité, je dis **OUI** à la souffrance qui me change.

Vivre le **OUI** à la réalité, c'est un peu comme obéir au gourou. En Orient, le gourou incarne celui qui **sait**. Non pas un savoir conceptuel, théorique, mais un savoir qui vient du cœur et vérifié par l'expérience, un **savoir-être**. Un « je sais » qui signifie « je vis ». Le gourou est celui qui a franchi les étapes du Chemin et qui a déjoué toutes les illusions de la réalité apparente. Il a dépassé la conscience limitée de l'ego.

Le gourou est reconnu par le disciple comme l'autorité. S'il se soumet à celle-ci, alors commence l'ascèse qui mène au Soi. En Occident, les gourous ne sont pas légion. Pour un véritable sage qui a connu l'illumination, une masse de faux gourous tentent de rehausser leur propre ego en se faisant aduler par des disciples de plus en plus nombreux.

Il est donc très facile de se tromper dans sa recherche d'un gourou. On peut être manipulé par un charlatan, ou parfois, on rencontre un véritable maître, mais l'approche ne nous convient pas. Ainsi, tous les yogas visent la même direction, mais certains sont plus en affinité avec ce que nous sommes.

Nous oublions souvent dans notre recherche de gourou qu'un seul ne ment jamais, est toujours authentique et constitue le guide le plus sûr : la vie elle-même.

Ce qu'on oublie trop souvent, c'est que la vie nous propose toujours des occasions pour nous amener à voir la réalité telle qu'elle est.

### La vie,
c'est tout ce que je perçois dans le champ de ma conscience
et beaucoup plus encore...

Et voilà où se trouve le gourou, **devant moi, face à moi, en moi.**
**Le gourou est la vie dans toutes ses manifestations, la somme de tous les événements qui composent mon existence.**
Quand le disciple est prêt, le gourou apparaît, dit-on en Orient. Sommes-nous assez ouverts pour voir le gourou qui prend le visage de la vie elle-même?
Sommes-nous capables d'accepter la vie comme une autorité qui peut nous faire avancer sur le Chemin?
Pouvons-nous suivre **sa** volonté, au lieu de dire non aux événements qui ne correspondent pas à notre volonté? Que choisir? La volonté de la vie ou celle de l'ego?
Le disciple accepte de renoncer à sa volonté pour se soumettre à la volonté du maître. Inutile de mentionner le danger où peut mener cette loi d'obéissance, si le maître n'est qu'un exploiteur.
**Les événements de la vie ne mentent jamais, ne cachent rien. Ils sont là, devant nous, avec les réactions qu'ils soulèvent dans notre for intérieur.**
Trouver le gourou en Occident consiste à s'ouvrir au gourou qui respire en soi, la vie en soi, réagir et agir aux incessants événements qui composent notre vie quotidienne.
«Que dois-je faire?» demande le disciple au gourou. Méditer, prier, respirer profondément, prendre telle posture, que de réponses différentes...
À cette question, la vie répond toujours la même chose: **FAIS AVEC CE QUI EST.**
Tel est le Chemin; refuser ce qui **est** revient à détruire l'escalier qui élève la conscience. Tous les événements qui m'arrivent, agréables comme désagréables, sont bel et bien là et j'ai à faire avec ce qui **est.** Faire avec ce qui **est,** en oubliant ce que j'aurais souhaité qui soit.
Suivre la volonté de la vie, suivre la volonté du Tao, suivre la volonté du Père, et oublier ma propre volonté. Telle est la discipline qui conduit tout au bout du Chemin, discipline toute aussi efficace que la méditation, le zen ou le yoga. **Faire avec ce qui est.**
**FAIRE AVEC CE QUI EST... ET DÉCOUVRIR CE QUE L'ON EST.**

> **La vie est gourou. L'autre est gourou. Les événements sont gourous. Tout ce qui arrive représente le gourou qui vit en Soi.**

Bien. Maintenant que j'ai trouvé mon gourou, maintenant que je sais que la vie est mon gourou, cette vie hors de moi (les événements, les rencontres avec l'autre), comme la vie en moi (mes pensées, mes émotions, tout ce qui constitue mes événements intérieurs), suis-je plus avancé ?

L'autre est mon gourou. Soit. Mais il n'a pas encore atteint le bout du Chemin. Il est toujours coincé dans ses propres illusions, dans ses désirs contradictoires, dans ses peurs et ses conflits. Le véritable gourou, lui, est capable d'un amour sans condition. Il est entièrement là pour moi. Comment autrui peut-il m'aider à traverser un chemin qu'il n'a pas traversé lui-même ?

Si l'autre est mon gourou, il ne l'est pas en soi. Il n'a ni l'autorité ni la sagesse pour exiger ma soumission ou m'imposer une discipline. Il pourrait même être dangereux que je lui obéisse aveuglément, étant donné ses intérêts égoïstes encore bien vivants.

**L'autre n'est pas gourou en lui-même. Il n'est que le miroir du véritable gourou intérieur qui se trouve en moi : le Soi. En sachant cela, je peux découvrir un gourou partout. Quand le disciple est prêt, le gourou apparaît.**

La mission du sage ayant transcendé l'ego consiste à conduire le disciple aux portes du Soi, au stade de la Conscience universelle, là où tout fait Un. Or, **la connaissance du Soi passe par la connaissance de soi**, et l'autre est un véritable maître dans ce chemin de la connaissance de soi.

L'autre sera toujours un maître qui me fera passer par toute la gamme des émotions. L'autre me révélera toute ma peur, ma possessivité, ma jalousie, l'ombre en moi qui demeure cachée au soleil de la conscience. L'autre est miroir qui me révèle à moi-même.

Tous les conflits que je n'ai pas résolus avec papa-maman referont surface tôt ou tard, à cause de l'autre, grâce à l'autre, afin d'être finalement réglés. On n'atteint pas l'unité du Soi sans réduire la division en soi.

> L'autre-gourou, c'est celui qui me sert de miroir sur le chemin de la connaissance de soi. C'est celui qui me ramènera à tout ce qui habite en moi et que j'aurai à connaître, à re-connaître, avant de naître au Soi.

Le Chemin consiste à traiter l'autre en gourou, au lieu de voir en lui le responsable de ma souffrance. L'autre, c'est la personne en face de moi, comme l'événement qui se présente à moi.

Le gourou se retrouve partout. Il y a « l'autre-personne-gourou » sur le Chemin, comme il existe « l'autre-événement-gourou ». Et cet « autre-événement-gourou » devient tout aussi important sur le chemin de la connaissance de soi.

**Ce que je refuse, ce qui me déplaît, ce qui m'impatiente dans un événement, comme dans ma rencontre avec l'autre, n'est-il pas l'expression de ce que je refuse en moi, à ce moment précis ?**

Ce que je refuse à l'extérieur est souvent le miroir d'un refus intérieur ; ce qui me déplaît à l'extérieur est miroir de ce qui me déplaît à l'intérieur. Mais nous voyons si facilement la poussière dans l'œil de notre voisin sans tenir compte de la poutre qui fausse notre vision...

Cette poussière que nous voyons dans l'œil de notre semblable est la projection de notre poutre qui embrouille tout. Au lieu d'ouvrir le feu sur le coupable poussiéreux, pourquoi ne pas faire une trêve en s'arrêtant sur la question qui nous rend disciples : **Qu'est-ce que je fais avec ce qui m'arrive ?**

La réponse à cette question ne peut que suivre deux directions : celle du **OUI**, de la reconnaissance de ce qui **EST**, et celle du **NON**, du refus de ce qui **EST**.

> L'acceptation de ce qui est **en** soi, comme **hors** de soi, est pourtant la seule direction qui conduit à la transformation.

Je ne suis pas libre de ce qui m'arrive hors de moi comme en moi. Je suis pourtant libre de mon attitude face à ce qui arrive ; l'attitude du **OUI** ou l'attitude du **NON**. La liberté vient de l'acceptation, jamais du refus de la réalité. Cette liberté qui repose sur la responsabilisation de sa vie, inséparable d'une attitude d'acceptation de tout ce qui arrive.

Telle est la mission du gourou : amener le disciple à parcourir le Chemin de la libération. Chemin sur lequel n'existe aucun coupable (ni moi ni toi) ni aucun refus de ce qui arrive. Il n'y a que la responsabilité d'avancer en acceptant tout ce qui est sur ma route.

Que le gourou s'appelle Bouddha, Krishna, Christ, Ram dass, Aurobindo, Prajnânpad, ou encore Claude, Martine, une clef perdue, une maladie ou un divorce, tous ces personnes-événements-gourous sont des représentants de la **GOUROU-VIE**.

Tous ces gourous conduisent à la découverte de l'éternel gourou en soi. Celui qui veille toujours quand on se soucie de sa présence, véritable gourou qui apparaît quand le disciple est prêt.

L'ego qui s'engage sur la voie de l'acceptation inconditionnelle gagne de la maturité, cette maturité nécessaire à un amour plus inconditionnel. Comme nous le verrons dans le chapitre sur le couple, l'ego qui évolue vers un amour inconditionnel doit passer par l'acceptation des différences de l'autre, avec lesquelles il faudra courageusement composer.

L'ego infantile, c'est l'enfant de trois ans qui pique une colère monstre parce qu'on lui refuse un bonbon. Après sa colère, de toute façon, il devra composer avec la réalité frustrante. Le bonbon tant désiré demeure toujours inaccessible. Une fois l'émotion exprimée, l'enfant redevient ouvert et aimant. L'acceptation de l'émotion lui permet d'accepter l'événement refusé au début.

L'émotion est comme une deuxième chance de gérer la frustration en l'acceptant. «Je ne peux accepter ce fait» (pas de bonbon), mais «Je peux accepter ce que cela me fait» (colère). L'émotion passe, guérit la blessure et libère du passé. L'émotion ressentie et exprimée est ce mouvement d'évolution vers la maturité en permettant le passage du NON au OUI libérateur.

Malheureusement, l'émotion peut être bloquée pour une foule de raisons. La charge émotionnelle ne trouve plus de voie de passage. Le refus de l'émotion à la conscience la refoule dans l'inconscient corporel. Avec les années, la tension peut augmenter et le corps commence à exprimer en maux (douleurs, maladies, ruminations, etc.) ce que la conscience n'a pu dire en mots.

«Qu'est-ce que ce FAIT EXTÉRIEUR me FAIT à l'INTÉRIEUR (émotion) et qu'est-ce que je refuse dans ce FAIT?» Cette question clef nous aide à effacer la marge entre ce qui est et ce que le mental menteur aurait voulu qui soit et à saisir qu'une émotion qui émerge est le signe que le fait extérieur est mal accepté; ce qui est attendu par l'ego et ce qui se produit ne coïncident pas. L'ego refuse d'accorder à l'autre ou à l'événement le droit d'être différent de ses attentes. En accordant à l'autre ou à l'événement le droit d'être contraire à sa volonté, l'ego se renonce, en renonçant aux gratifications qu'il espère obtenir. Lorsque l'ego découvre qu'il engendre lui-même sa souffrance en refusant à la réalité le droit d'être simplement ce qu'elle est, la frustration n'a plus raison d'exister. La relation avec l'autre peut prendre une nouvelle dimension.

En libérant l'autre de son obligation d'être à notre service, on se libère de ses fausses attentes, de sa fausse vision égocentrique, fausse parce qu'il est faux que l'autre existe pour combler notre propre manque-à-être, notre propre manque-à-vivre. L'ego libéré de ses attentes n'est pas encore libre de ses besoins et de ses désirs, mais il cesse de regarder l'autre comme une nourriture à conquérir. Il le regarde comme un ego, qui lui aussi cherche à se nourrir, à recevoir, et le laisse libre dans sa quête de nourriture (d'amour).

L'ego voit l'autre comme il se voit lui-même : en ATTENTE, en QUÊTE de quelque chose qui comblera ses besoins (d'amour). Or, l'ego RENONCE à voir combler ses besoins par un autre ego qui lui aussi est toujours en attente de voir combler ses propres besoins. L'ego reconnaît que celui qui est aussi vide que lui-même ne peut le remplir. Il reconnaît qu'il est vain d'attendre à l'extérieur de soi ce qui le comblera ; son regard se tourne maintenant vers lui-même, vers sa propre source de nourriture. Son regard est dans la bonne direction ; dans la direction du plus grand en lui, qui seul peut le libérer à tout jamais de ses besoins et de ses désirs.

Quand l'ego libère l'autre de son obligation d'être nourriture pour lui, il se libère de ses attentes et découvre que TOUT est en SOI. L'ego est devenu sage, approchant de sa propre mort pour entrer dans le royaume du SOI.

## Le renoncement

Le chemin de l'acceptation inconditionnelle qui prépare celui de l'amour inconditionnel nécessite de renoncer à sa propre satisfaction et semble conduire au « tout à toi, tout pour toi ». S'il est vrai que l'abnégation de soi conduit à la libération, il est encore plus vrai que ce renoncement, mal compris, conduit plus sûrement à la névrose et à la maladie. Avant d'être capable de s'oublier soi-même, il faut d'abord être capable de s'occuper de soi en revendiquant ses droits, en assumant la responsabilité et la satisfaction de ses besoins. Avant de renoncer à sa place, il faut d'abord avoir occupé cette place.

Il faut distinguer le sacrifice de soi et le renoncement à soi. Même si extérieurement le comportement peut être le même, le vécu est fort différent parce que les motivations sont différentes. Dans notre propre contexte religieux, le sacrifice de soi par charité chrétienne est proposé comme une valeur importante. L'autre doit passer avant soi et la personne qui pense trop à elle sera jugée égoïste, quand ce n'est pas elle-même qui éprouve des sentiments de culpabilité lorsqu'elle a l'impression de faire passer ses besoins avant ceux des autres.

La peur de perdre l'amour des autres et la crainte de ressentir la culpabilité d'être égoïste sont les motivations sous-jacentes au sacrifice de soi. Une telle personne n'est pas libre de ne pas se sacrifier. C'est sa seule manière d'être-au-monde qui lui permet de s'aimer conditionnellement elle-même. Tout sacrifice de soi effectué consciemment et très souvent inconsciemment dans le but d'être aimé par l'autre afin de s'aimer soi-même conduit plus souvent au mal-à-vivre et à la maladie plutôt qu'à la santé et à l'amour de soi. « Charité bien ordonnée commence par soi-même. » Je peux vraiment commencer à m'oublier moi-même quand j'ai réussi à prendre ma place parmi les autres. Je peux vraiment m'effacer pour le bien de mon semblable quand je suis aussi capable de m'affirmer pour mon propre bien.

> «Plongez-vous dans le monde, puis lorsque vous aurez souffert et joui de tout ce qu'il contient, viendra la renonciation ; c'est alors que viendra le calme. Ainsi donc, satisfaite votre soif de puissance et de tout le reste, et lorsque vous aurez satisfait vos désirs, un moment viendra où vous saurez que ce sont de bien petites choses ; mais tant que vos désirs seront inassouvis, tant que vous n'aurez pas traversé cette activité, il vous sera impossible de parvenir à cet état de calme, de sérénité, de don de soi.»
>
> Vivekananda

La personne qui se sacrifie parce qu'elle n'est pas libre de ne pas le faire, à cause de son conditionnement et de sa peur, est incapable de renoncement. Pour renoncer, pour SE renoncer, il faut avoir quelque chose à abandonner, il faut pouvoir se détacher d'un état d'être que l'on a déjà connu.

Il est essentiel d'avoir atteint un certain niveau de satisfaction de ses besoins avant de pouvoir se centrer sur les besoins de son semblable et l'aimer pour ce qu'il est, et non pour les besoins qu'il nous permet de satisfaire. Quand l'ego s'intéresse suffisamment à lui-même, il se nourrit et il grandit, et alors et alors seulement, il peut s'intéresser vraiment à autrui de façon plus gratuite. Le fait de donner peut alors devenir un geste gratifiant en lui-même sans être associé à l'espoir de recevoir en retour.

Préparer la Grande Mort, c'est d'abord connaître une belle vie d'ego bien nanti, occupant une grande place. Puis, l'ego passe à autre chose, se détache, se dé-place pour enfin donner une place à l'autre. La personne réalise alors son bien en concourant au bien de ses semblables, cette aptitude à se centrer sur autrui étant une caractéristique que l'on retrouve chez les personnes actualisées.

> «Plusieurs traditions suggèrent que l'attachement, le désir très fort de voir ses besoins assouvis, est la source de la souffrance et que les individus au développement élevé sont plutôt motivés par le désir d'apporter leur contribution, de se mettre au service des autres. La santé pourrait être associée à une diminution des attachements et à une proportion plus élevée de comportements orientés vers le service par rapport à ceux centrés sur l'ego.»
>
> R. N. Walsh

«Le Soi nous demande seulement d'accueillir ce que nous sommes au plus profond de nous-mêmes», nous dit Durckheim. Et nous sommes d'abord un ego, bien égoïste et bien égocentrique. C'est en acceptant cet ego que nous allons vers le Soi. De l'attachement, nous passons au détachement et à la conscience après avoir reconnu la souffrance liée à l'attachement à nos dépendances. Le Chemin nous demande d'accepter tout, malgré tout, en prenant la responsabilité de tout ce qui nous arrive.

## La responsabilité

Les sages sont particulièrement intransigeants envers l'ego. Ils ne lui laissent aucune chance de se défiler en clamant qu'il s'attire tout ce qui lui arrive. L'ego est donc ainsi entièrement responsable de sa souffrance. Bouddha fut sans doute un des premiers grands maîtres spirituels à insister sur la responsabilité de se sortir de sa souffrance.

> «Le monde est rempli de **souffrances**. La naissance est **souffrance**, la maladie est **souffrance**, la mort est **souffrance**; ne pas satisfaire ses désirs est **souffrance**; être séparé d'un être aimé est **souffrance**. Voilà ce qu'on appelle la **Noble Vérité** sur la **souffrance**.»
>
> Bouddha

Peut-être pourrait-on dire de lui qu'il fut sans doute obsédé par le problème de la souffrance. Mais son dessein était très clair : s'en libérer. Il pratiqua l'ascèse d'une façon extrémiste et conclut que ce n'était pas la bonne voie. Il comprit que la voie du juste milieu était plus favorable à son projet de libération. Seul, ayant renoncé à ses gourous précédents, il se mit à réfléchir sur le Chemin de la libération, un chemin situé entre «l'abandon aux plaisirs du corps» et une ascèse excessive se transformant en «torture déraisonnable du corps et de l'esprit», le Noble Chemin. Ce Noble Chemin que je me permets d'interpréter à ma façon.

Sur le long Chemin de la Conscience, il y a la souffrance qui n'est que le premier pas vers la Conscience. La souffrance, c'est de la Conscience en puissance. La souffrance est donc graine de Conscience.

Le «Droit Chemin» qui conduit à la Conscience est parcouru grâce à l'**attitude juste**. L'attitude juste transforme la souffrance en Conscience en passant par trois simples questions :

- Qui souffre ?
- Qui me fait souffrir ?
- D'où vient cette souffrance ?

À la première question, la réponse est **moi**. À la deuxième, la réponse est encore **moi**. À la troisième, la réponse est toujours **moi**.

Voilà la Noble Vérité sur l'origine de la souffrance. La souffrance provient de notre propre moi. L'attitude juste consiste à vivre avec cette conscience : je suis **responsable** de ma souffrance, j'ai donc le pouvoir de transcender cette souffrance et personne d'autre que **moi** ne peux réaliser cette tâche.

Quand je me reconnais comme à l'origine de ma souffrance, j'ai le pouvoir de m'en libérer. Tant que je considère que c'est l'autre ou un facteur extérieur à moi qui me fait souffrir, je suis condamné à souffrir, en attendant, peut-être, que mon environnement se modifie.

Vous comprenez maintenant qu'avec ce Noble Chemin de l'**attitude juste**, il est inutile de chercher qui a raison ou qui a tort, c'est la faute à qui ou à quoi. Il n'a qu'un seul but : transformer la souffrance en Conscience, l'impuissance en pouvoir, en assumant la responsabilité de sa vie.

Une autre notion orientale vient appuyer l'importance d'assumer la responsabilité de sa vie. La notion de karma est maintenant très répandue en Occident, mais sa compréhension demeure souvent boiteuse et incomplète.

Considérer le karma uniquement comme un système de récompenses et de punitions pour ses actes engendre facilement un sentiment d'impuissance. Très souvent, le karma est réduit à la loi de cause à effet : mon passé est cause de mon présent (qui en est l'effet), mon présent est cause de mon futur. Ainsi, on récolte dans le futur ce que l'on sème aujourd'hui. Dans ce cercle de cause à effet, il n'y a plus de place pour la liberté. Karma devient un principe universel de condamnation ; j'ai semé le vent, je suis condamné à récolter la tempête.

Si le karma tient compte de nos bonnes actions comme de nos mauvaises, cela ne signifie pas que nous devons comparaître devant un comptable justicier qui exige le règlement de nos dettes, jusqu'à ce que tout soit expié. L'alcoolique qui a bu pendant plus du quart de sa vie peut-il considérer ses maladies comme une punition de la vie ? Le fumeur qui se voit arracher un poumon cancéreux à cinquante ans doit-il considérer qu'il s'agit d'une punition de la vie ? La vie a ses lois, et « nul n'est censé ignorer la loi », car la vie dispose de moyens pour nous les révéler par la souffrance.

Est-ce que la souffrance est une punition karmique ? Est-ce le comptable justicier de l'univers qui nous fait expier nos fautes dans la souffrance ? Serait-ce notre propre ignorance qui devient cause de notre souffrance ?

Considérer le karma comme une simple loi éthique selon le bien et le mal, de récompenses et du punitions, dénote une compréhension très limitée. S'il demeure vrai que dans l'ensemble « on récolte ce que l'on sème », la mauvaise récolte n'est pas une punition du justicier cosmique, mais bien une infraction à certaines lois de la vie, que nous ignorions certes, mais que nous devons finir par connaître. Dans cette optique, le karma prend le rôle d'un instructeur, d'un guide. Il nous fait réfléchir sur les conséquences de nos actes. Si je rame dans le bon sens du fleuve, j'arriverai finalement à la mer. Si je rame dans le sens contraire, j'aurai des signes pour me ramener dans le « Droit Chemin ». Il nous incombe d'interpréter correctement ces signes et, tant et aussi longtemps que nous en demeurerons inconscients, la loi de cause à effet tentera patiemment, inlassablement, de nous éveiller.

La loi du karma est plus qu'une comptabilité éthique, c'est une loi d'évolution de la conscience. Dans cette optique, les notions de punitions que je dois expier passivement ne tiennent plus. Je ne peux plus me décharger de la responsabilité de mon changement en disant : « C'est la vie !, c'est mon destin ! » JE SUIS **LIBRE** potentiellement et toutes les traditions spirituelles ne cessent de signifier cette liberté.

Je suis libre d'aller à contre-courant et d'en assumer les conséquences. Je suis libre de boire, comme je suis libre de cesser de boire ; je suis libre de blâmer tout le monde, comme je suis libre de cesser ce jeu inutile ; je suis libre de faire le bien (suivre les lois universelles) comme de faire le mal (ramer à contre-courant). La loi du karma n'est que le guide cosmique qui nous permet de faire les apprentissages qui nous sont nécessaires pour aller là où nous devons aller.

Voir le karma comme un guide cosmique au lieu de le voir en comptable justicier ne change pas grand-chose aux faits, nous récoltons toujours ce que nous semons. C'est au niveau de notre attitude que la transformation s'accomplit. Je deviens **responsable** de mes actes et de mes choix. Je ne peux plus invoquer la punition cosmique pour me décharger de ma responsabilité et justifier ma passivité. Je ne peux plus invoquer qu'il faut que j'expie, que je « fasse mon temps », que c'est mon destin. Je suis **le créateur de ma destinée**.

---

**« La souffrance résulte d'un conflit entre les hommes et les lois qui régissent l'univers.**

**Obéir aux lois, c'est ne plus provoquer de conflit.**

**Nous pouvons donc établir les quelques règles suivantes qui permettront de conquérir la liberté :**

**1. Connais-toi toi-même.**

**2. Apprends à connaître les lois qui régissent l'univers.**

**3. Reconnais que les lois sont bonnes puisqu'elles sont HARMONIE.**

**4. Soumets-toi librement et entièrement à ces lois que tu as reconnues bonnes. »**

**Thorwald Dethlefsen**

---

La psychologie occidentale a aussi, jusqu'à un certain point, un concept qui s'apparente à la notion de karma.

C'est ainsi qu'il y a ceux qui croient en leur contrôle sur leur existence et ceux qui croient que la vie n'est que hasard. Ceux qui croient qu'ils sont responsables de ce qui leur arrive et ceux qui s'en remettent au destin.

L'internalité et l'externalité sont deux concepts liés à la croyance qu'ont les gens sur leur pouvoir dans leur vie. Alors que l'interne fait l'expérience qu'il a une emprise sur sa vie, qu'il peut maîtriser une bonne part de ce qui peut lui arriver, l'externe fait l'expérience de non-maîtrise de son environnement. Au niveau de la motivation, l'externe ne cherche même pas à contrôler une situation difficile; au niveau cognitif, il fait rarement le lien entre ses actions et les résultats; au niveau émotionnel, il fait plus souvent l'expérience de l'impuissance et du désespoir.

L'externe se retrouve souvent en inhibition de l'action, il souffre d'une «impuissance acquise». Cette inhibition de l'action est un des facteurs qui augmente le degré de stress et les risques de malaises psychosomatiques.

Si un interne apprend par son médecin qu'il a un cancer, il se demandera comment il peut s'aider, il s'informera sur le sujet, s'intéressera aux médecines douces sans pour autant négliger la médecine conventionnelle. Il recherchera de l'information sur les méthodes d'autoguérison, de visualisation. Il se demandera ce qui a bien pu se passer dans sa vie pour développer un cancer. Il se questionnera sur son style de vie. Il a des chances de découvrir que, dans les derniers mois, il a subi un coup dur qui l'a perturbé émotionnellement et que depuis ce temps, il est «rongé» par quelque chose...

Quant à l'externe, même s'il lisait une quantité de bouquins démontrant le lien entre le style de vie et le déclenchement d'une maladie, il ne pourrait croire que c'est son cas. Il lui est impossible de croire que ses douleurs dans le dos sont causées par ses préoccupations mentales et par une peine ravalée. Il consultera parfois plusieurs médecins pour se rassurer et surtout dans l'espoir qu'on lui enlève son mal. Il ne fait aucun lien entre sa perturbation intérieure et ses symptômes physiques. La maladie l'a frappé comme la foudre frappe un arbre. Il n'y peut rien. Il remet sa vie entre les mains de la science médicale.

Un interne qui réussit à un examen saisit qu'il a bien travaillé et qu'il doit continuer de la même façon pour réussir à nouveau. Il a réussi parce qu'il s'est bien préparé. S'il a un échec, il conclut que ses efforts n'ont pas été assez intenses et corrigera la situation. Pour un externe, la réussite à un examen est plus facilement attribuée à la chance.

Inutile de mentionner que les recherches constatent que les internes ont de meilleures capacités d'adaptation, qu'ils réussissent mieux à l'école, souffrent de moins de signes d'anxiété. Ils sont beaucoup moins démunis devant l'adversité de l'existence.

Les traditions spirituelles penchent toujours du côté de l'internalité. Chacun s'attire tout ce qui lui arrive parce qu'il l'a provoqué[29]. Est-ce bien vrai ? Comment savoir ? Peut-on vérifier ? Difficile à dire, difficile à faire. Mais, quoi qu'il en soit, agir « comme si » c'était vrai donne plus de pouvoir qu'il n'en enlève. Le pouvoir de se transformer et de s'assumer, au lieu de chercher à détenir le pouvoir sur l'autre, considéré comme la cause de tous nos malheurs.

*
* *

Sur le sentier de l'acceptation inconditionnelle, l'ego découvre sa vérité : son égoïsme et son égocentrisme. Toujours avoir mieux, toujours avoir plus, toujours avoir encore, mais aussi toujours récolter la souffrance inexorablement liée à l'avidité d'avoir.

Se préparer à la Grande Mort, c'est d'abord et avant tout mourir à sa souffrance. Présentée ainsi, la Grande Mort plaît à l'ego. L'ego a horreur de la souffrance et il manifeste plein de bonne volonté pour l'éviter. Quand il réalise qu'il s'inflige lui-même sa souffrance en créant toujours une marge entre ce qui est (volonté de la vie) et ce qui devrait être (volonté de l'ego) et en abandonnant sa responsabilité d'agir d'une façon plus satisfaisante parce qu'il attend que l'autre ou l'univers répare l'offense, il accède à son pouvoir de transformation. Sa motivation à sortir du cercle de la souffrance s'accroît.

L'ego entre alors au monastère de la Conscience. Sa prière consiste à voir ce qui est en composant avec la réalité telle qu'elle est. Prière du quotidien débusquant les pièges du mental menteur qui engendre sans cesse la division par ses interminables « cela aurait dû arriver autrement ».

Sa méditation quotidienne, dans ce monastère de la Conscience, est celle de la responsabilité. J'ai choisi ce qui m'arrive. Phrase mortelle qui tue instantanément tous les blâmes contre les autres ou contre soi-même. C'est maintenant à moi, et à moi seul, qu'incombe la responsabilité de transformer ma souffrance en conscience. Personne à blâmer pour cette souffrance...

Elles ne sont pas toujours facile cette prière de l'acceptation inconditionnelle et cette méditation de la responsabilité dans ce monastère de la Conscience qu'est la Vie. Et pourtant, y a-t-il une meilleure prière

---

29. « Quelle que soit la situation dans laquelle vous vous trouvez, cette situation s'est présentée à vous seulement parce qu'elle a un certain rapport avec vous (...) Tout, partout est relié à tout (...) Tout ce qui vient à vous ou est venu à vous, que ce soit une personne, un incident, une situation, est venu à vous parce qu'il/elle a été attiré(e) vers vous. En d'autres termes, que vous le vouliez ou non, c'est vous qui l'avez attiré. »

Swâmi Prajnânpad

que celle qui conduit à accepter la réalité quotidienne en faisant grandir la conscience de soi jusqu'à la Conscience du Soi ? Y a-t-il une méditation plus puissante que celle qui conduit à abandonner tout blâme pour ses besoins non satisfaits, en accédant de plus en plus au pouvoir de l'Amour.

Chose certaine, cette prière et cette méditation ont une place essentielle dans le monastère du couple, ce lieu par excellence de préparation à la Grande Mort dans le quotidien.

> «La vie de couple (...) cristallise le problème de toute relation humaine, car il n'y a de véritable relation qu'à la lumière de la conscience, et celle-ci est liée à une dimension de l'amour que nous ne connaissons encore que si peu !»
>
> A. De Souzenelle

# CHAPITRE 7

# *L'amour et la guérison dans le couple*

> *« Pour l'être humain, en aimer un autre est sans doute la plus difficile de toutes les entreprises, le critère essentiel, l'ultime preuve, le travail pour lequel tout autre n'est que préparation. »*
>
> Rainer Maria Rilke

Quelle éloquence pour si bien dire une vérité fondamentale ! Je suis sûr que Rilke lui-même ne pensait pas si bien dire en disant si vrai. Nous verrons dans ce chapitre que tous les outils que nous avons abordés jusqu'à maintenant trouvent leur utilité dans l'entreprise du couple. J'avoue, personnellement, qu'aimer en tant que thérapeute me semble bien plus facile qu'aimer en tant que conjoint. L'amour dans le couple demande autant de préparation, sinon plus que l'amour en thérapie, mais l'apprentissage dans le couple se fait le plus souvent sur le tas, par essais et erreurs.

Une phrase en apparence banale, mais si loin de l'être, prononcée après trois ans de vie de couple à temps partiel. Ma compagne et moi venions de nous engager pour trois mois d'essai, histoire de vérifier si nous étions aptes à vivre ensemble.

Trois mois d'enfer. Les conflits vécus durant ces trois (longs) mois étaient d'une telle ampleur et d'une telle intensité, que nous en attendions avidement la fin. Nous comptions les jours en priant pour que la date fatidique nous délivre de notre engagement houleux. En trois mois, il y avait eu plus de périodes conflictuelles que dans les trois années précédentes.

Je présume qu'il nous est arrivé ce qu'il advient à certains couples qui cohabitent ensemble quelques années, décident de se marier pour de simples formalités, pensent-ils, et divorcent dans la même année. L'engagement doit avoir un effet percutant sur nos blessures d'enfance ! Savons-nous vraiment ce que signifie «entrer en couple» ?

## Le couple-ascèse

Si je devais animer un cours de préparation au mariage, je m'amuserais, à la première rencontre, en lançant cette phrase lapidaire : **«On entre en couple comme on entre au monastère.»** Suivrait un silence, un long silence, avant de rajouter : «Êtes-vous toujours intéressés par ce cours ?»

Il y a fort à parier que si notre société véhiculait l'idéologie du «couple-monastique», l'institution maritale comporterait autant de membres qu'il y a de moines dans les monastères, c'est-à-dire bien peu ! Pourquoi entre-t-on en couple ? À première vue, certainement pas pour les mêmes raisons qu'on entre au monastère. La vie solitaire, contemplative, remplie de prières, semble fort différente de la vie de couple, avec son rythme effréné qui s'accélère encore avec l'arrivée des enfants. Et pourtant, même si le style de vie peut s'avérer fort différent, la finalité peut demeurer la même : l'évolution de la Conscience-Amour jusqu'à la fusion avec le Soi.

> «C'est pourquoi l'homme quitte son père et sa mère et s'attache à sa femme, et ils deviennent une seule chair.»
>
> Genèse

> «En vérité, ce n'est pas le mari que la femme aime, mais le Soi qui est en lui. En vérité, ce n'est pas l'épouse que l'époux aime, mais le Soi qui est en elle.»
>
> Upanishad

Nul doute que la notion de couple est en rapport avec l'unité, l'union. C'est le passage du deux vers le un. Que signifie au juste «devenir une seule chair» ou aimer «le Soi qui est en lui» ? Sans se perdre dans les interprétations trop éthérées, il est possible de croire que derrière les évidences se cache le plus subtil. Trop simpliste de voir deux corps copuler devenir une seule chair. Que se cache-t-il derrière cette chair bien visible ? Peut-on entrevoir là l'union avec le divin (en soi), en passant par l'autre, qu'il convient d'aimer comme soi-même ? L'amour se révèle ainsi dans ses composantes personnelles (l'amour de soi), interpersonnelles (l'amour de l'autre) et transpersonnelles (l'amour de Dieu).

L'aspirant qui entre au monastère sait relativement bien à quoi s'attendre, suffisamment du moins pour prendre une décision éclairée. Sa vie sera consécration au divin, recherche de cette unité avec le plus grand que lui. Chaque personne qui entre en couple n'a pas toujours cette vision éclairée dans sa recherche d'unité avec l'autre « chair ».

Le moine s'attend à une vie faite de disciplines qui reposent sur l'obéissance aux règles de la communauté. Le nouveau marié s'attend au bonheur de cheminer côte à côte avec l'être aimé, cette union brisant à jamais l'effroyable sentiment de solitude qui pouvait l'accabler avant cette rencontre historique. On entre en couple, pour le meilleur, en repoussant le plus loin possible le pire, qui arrive de toute façon. Et le pire, c'est que le couple demande autant de discipline que la vie monastique, du moins, si on veut faire du couple un sanctuaire d'évolution. Pire encore, notre relation avec l'autre prend un caractère infernal quand notre motivation repose uniquement sur l'espoir qu'il vienne combler notre vide intérieur. L'intérieur peut-il vraiment se combler par l'extérieur ?

*<br>* *

Une vieille légende hindoue raconte qu'il y eut un temps où les hommes étaient des dieux et qu'ils abusèrent de leur divinité. Brahma, le maître des dieux, décida de leur enlever leur pouvoir divin et de le cacher à un endroit où il leur serait impossible de le retrouver. Mais où donc enfouir ce pouvoir ?

Un conseil des dieux mineurs chercha à résoudre ce problème en proposant d'enterrer la divinité de l'homme au centre de la terre. Mais Brahma répondit : « Non, cela ne suffit pas, car l'homme creusera et trouvera. » Les dieux proposèrent alors de jeter la divinité de l'homme dans le plus profond des océans. Mais Brahma répondit à nouveau : « Non, car tôt ou tard, l'homme explorera les profondeurs de tous les océans et il la trouvera et la remontera à la surface. »

Les dieux mineurs, après maintes discussions, conclurent qu'il ne semblait exister aucun endroit sur terre ou dans la mer que l'homme ne puisse atteindre un jour.

Brahma dit alors : « Nous cacherons la divinité de l'homme au plus profond de lui-même, car c'est le seul endroit où il ne pensera jamais à chercher. »

Depuis ce temps-là, conclut la légende, l'homme a fait le tour de la terre, exploré, escaladé, plongé et creusé, à la recherche de quelque chose qui ne se trouve qu'en lui.

Le couple, c'est le lieu où l'on explore, escalade, plonge et creuse, à la recherche de ce quelque chose que l'autre ne peut nous donner parce que ce quelque chose ne peut jaillir que de soi. L'autre devient ce chemin par lequel on passe pour accéder à soi-même.

C'est sans doute la solitude qui, à l'origine, nous pousse à aller à la rencontre de notre semblable. La solitude est la motivation de base qui nous conduit à l'autre. Mais cette solitude est tantôt notre ennemie, tantôt notre amie ; l'ennemie lorsqu'elle nous pousse à conquérir l'autre pour qu'il comble notre vide affectif ; l'amie lorsqu'elle nous pousse à demander sa coopération pour qu'il nous aide à conquérir la plénitude de notre être. Ainsi, notre aspiration à la vie de couple peut se baser sur une motivation de déficience qui nous pousse essentiellement à vouloir combler un manque ou sur une motivation de croissance qui conduit à l'actualisation. C'est là toute la différence entre le « sans toi, je ne peux plus vivre » et le « sans toi, je peux très bien vivre, mais avec toi, j'aspire à vivre une dimension que je n'atteindrai jamais sans toi ». Cette dimension, c'est la conscience de notre égocentrisme et de notre égoïsme, teintés de toutes les blessures d'enfance qu'il nous faudra dépasser.

Un client me disait à peu près ceci : « Je me rappelle, il y a deux ans, comme je me plaignais de ma solitude, et combien j'aspirais avidement à être en couple. Maintenant que je le suis, je prie pour que ça cesse. » À l'origine, sa motivation à la vie de couple était basée sur l'illusion que l'autre comblerait ses manques, que l'autre le rende enfin entier. En cours de route, il a découvert que, s'il n'était pas déjà entier avant d'entrer en couple, il risquait de se sentir encore plus morcelé. Qui peut se vanter de savoir ce qu'est la vie de couple avant de l'avoir expérimentée ?

## Une vision juste du couple : savoir...

En vieux français, aimer signifiait aider. Quant au mot « couple », une de ses origines vient du latin « co-aptus », c'est-à-dire co-apte. Le couple se compose donc de deux individus qui sont aptes. Aptes à s'entraider ? S'entraider à aimer ?

Qui peut se vanter d'être apte à la vie de couple ? Selon Virginia Satir, une thérapeute conjugale de renom, à peine 5 % des couples franchissent l'étape de la lutte de pouvoir, où chacun tente d'amener l'autre à changer pour le rendre conforme à ses attentes. « Deviens comme moi pour me satisfaire » devient l'enjeu de cette lutte de pouvoir. Une infime minorité réalise que le couple doit au contraire permettre à chacun de devenir de plus en plus différent (unique), tout en étant de moins en moins distant de l'autre.

Mieux vaut considérer que nous sommes au départ inaptes à la vie de couple. Je reprends ici l'analogie avec la vie monastique où le futur moine commence par une période de noviciat, avant de s'engager librement et définitivement. Or, la véritable vie de couple qui conduit à l'évolution doit débuter par une étape de guérison de ses blessures d'enfance. À cette étape de guérison, le choix amoureux est totalement inconscient. Je n'ai rien choisi du tout, mon inconscient a tout choisi. Et c'est particulièrement à cette étape préliminaire à l'engagement conscient que l'aspirant au couple doit disposer d'outils de transformation. Ces outils de transformation concernent les trois dimensions du savoir, du savoir-faire et du savoir-être.

Le savoir procure une vision juste du couple et concerne surtout l'aspect personnel de la croissance. Qu'est-ce que je devrais savoir avant même de songer à la vie de couple ?

Le savoir-faire touche surtout les habiletés relationnelles et permet une interaction juste avec le conjoint. Il concerne l'aspect interpersonnel de la croissance. Comment interagir de façon appropriée dans ma relation avec l'autre ?

Le savoir-être implique une aspiration à l'évolution et l'adhésion à une direction juste. Il concerne l'aspect transpersonnel de la croissance. Qu'est-ce qui me permettra d'accroître mon niveau de conscience en devenant de plus en plus unifié en moi-même grâce à mon unité avec l'autre ?

*
* *

La première négligence en choisissant de vivre en couple consiste à oublier que **nous sommes toujours enfants**. Entrer en couple, c'est entrer en garderie. Une grande garderie avec des enfants de tous âges. Une garderie d'enfants blessés parce qu'ils ont été brimés, réprimés, critiqués.

Nous évoluons dans un corps d'adulte, mais avec une conscience d'enfant, des perceptions d'enfant, des besoins d'enfant. L'enfant intérieur en nous, blessé, n'a pas réussi à grandir, à s'épanouir. Le poids de certains conflits infantiles non résolus, les blessures émotionnelles de nos traumatismes lointains contaminent toujours notre présent. Cette contamination existe parce que notre enfant intérieur est bloqué dans son développement.

Nous avons chacun notre histoire personnelle. Et dans cette histoire, se terrent, au fond de notre inconscient, les peurs, les chocs émotionnels ou physiques qui ont causé une souffrance qui dépassait nos forces d'enfant. Cette souffrance a été ensevelie par des mécanismes de défense qui nous ont permis de survivre à un contexte menaçant. Mais l'organisme cherche toujours à guérir de ces traumatismes et, tôt ou tard, dans notre vie d'adulte, il est susceptible de se produire un événement qui rappelle la blessure originelle. C'est alors la détresse intense d'un enfant intérieur qui s'ignore. Notre conscience d'adulte ne comprend pas une telle intensité émotionnelle, une telle détresse morale et affective. Notre corps d'adulte refuse cette réaction douloureuse qui est perçue comme une faiblesse. L'adulte que nous sommes cherche à nier cette souffrance intérieure d'un bébé criant pour sa survie.

Nous avons tous nos zones de déficience, nos aires d'immaturité affective. L'homme qui devient jaloux de l'amour que sa femme porte aux enfants souffre parce que sa conscience d'enfant ne coïncide pas avec son corps d'adulte. La personne incapable de faire face à sa solitude, qui doit constamment rechercher la compagnie des autres pour échapper à son angoisse, souffre d'une conscience d'enfant qui ne coïncide pas avec son corps d'adulte. Quand je n'ose exprimer mes besoins, de peur d'être rejeté, je porte encore en moi mes peurs d'enfant. Quand je réagis par la rage lorsque l'autre ne comble pas mes attentes, je porte encore en moi mes besoins d'enfant, qui ne seront plus jamais satisfaits comme j'aimerais qu'ils le soient.

Quand cet enfant intérieur se fait entendre en nous, il faut éviter de le juger et de le réprimer parce qu'il est dérangeant. Le juger, c'est devenir ce parent qui frappe l'enfant pour qu'il cesse de pleurer ; c'est opprimer davantage, en espérant faire cesser la souffrance, oppression qui conduit évidemment à l'inverse.

Souvent, nous érigeons un mur pour protéger notre enfant intérieur contre les dangers de l'extérieur. Mais ce mur demeure insuffisant pour guérir cet enfant blessé. Il n'a pas seulement besoin de protection, il a surtout besoin de soins, d'amour, de tendresse, de chaleur, pour guérir.

Pour grandir, l'enfant intérieur a besoin d'être entendu, d'être accepté. Il a besoin de crier ses douleurs, sa peine, sa rage. Il a besoin de notre corps d'adulte pour se réchauffer. Il a besoin de notre conscience d'adulte pour se sentir compris, accepté. Il a besoin de ce parent intérieur qui doit maintenant suppléer aux manques du passé. Et même si nos parents avaient tous réussi un doctorat en « parentologie », ils n'auraient jamais pu réussir à combler parfaitement nos besoins d'enfant. L'enfant a justement besoin de frustrations pour stimuler sa croissance et apprendre ainsi à se détacher de ses parents, pour devenir autonome, en devenant son propre père et sa propre mère.

Devenir son propre père et sa propre mère complète ce que j'appelle l'étape de guérison. Guérir l'enfant intérieur demandera des années, malgré les outils de transformation que l'on utilise. Cette guérison permettra la transformation du parent-critique en soi en parent-nourricier.

La blessure d'origine cherche à se guérir en se répétant. On se traite comme on a été traité, et on choisit (inconsciemment) un conjoint qui nous traite comme papa-maman nous a traité. Inconsciemment, nous nous arrangeons pour que notre conjoint prenne le rôle du « bourreau » parental que nous avons subi jadis et, pire encore parfois, il ne se comporte en bourreau qu'avec nous, alors qu'il est beaucoup plus conciliant avec les autres. Inconsciemment, nous savons extirper le pire qui règne en l'autre. Ainsi, madame qui est si patiente en général pique des crises hystériques à monsieur. Monsieur se retrouve ainsi dans un contexte bien connu lorsque sa mère rageait souvent contre lui. De son côté, monsieur qui sait si bien se rendre disponible et accueillant envers les autres se ferme automatiquement dès que madame manifeste un besoin d'aide. Madame se retrouve alors dans un contexte familial bien connu, où personne n'était disponible quand elle avait besoin d'être écoutée.

Le couple est le lieu par excellence de la répétition des blessures d'enfance. On quitte papa-maman pour retrouver un autre papa-maman, semblable.

C'est le lieu :

- **du vouloir-recevoir ce que je n'ai jamais suffisamment reçu jadis de papa-maman ;**
- **de la demande jamais entendue ou jamais exprimée ;**
- **du passé toujours présent.**

Voici deux exemples qui illustrent très bien comment le passé contamine toujours le présent, en ravivant la même blessure d'origine.

Pierre connaît très bien son scénario amoureux. S'il tombe amoureux, il s'agit toujours d'une femme inaccessible. S'il fait l'amour avec une femme convoitée, celle-ci ne lui dit absolument plus rien. Dans un cas comme dans l'autre, il ne peut vivre l'intimité à laquelle il aspire. Comment était sa première relation d'amour avec maman ? Il semble avoir été profondément blessé. Après le divorce de ses parents, lorsqu'il avait deux ans, il devient sourd pendant quelques mois sans raison médicale. Il se coupe du monde. Il se rappelle parfois s'endormir en haut de l'escalier, couché sur la première marche où il peut voir la chambre de maman. Maman qui demeure inaccessible, parce que la « psychologie » de l'époque considérait cette proximité comme néfaste.

Étrangement, lorsqu'une histoire d'amour avec une femme inaccessible se termine, il a tendance à revivre la même coupure avec le monde extérieur, non plus en devenant sourd, mais en s'enivrant ou en s'isolant. Il revit sans le savoir le même sentiment d'abandon et de rejet qu'il a dû vivre face à sa mère inaccessible. L'angoisse de séparation le fait côtoyer le désir de se laisser mourir qu'il a déjà vécu enfant, sans souvenir conscient bien sûr.

Cette fois, écoutons Anne se plaignant qu'il n'y a jamais personne pour elle. Elle est consciente que son conjoint, comme sa mère, n'était jamais disponible. Sa mère lui a raconté qu'enceinte d'elle, elle pleurait encore la mort de son frère mort-né. Avant même de venir au monde, elle sentait qu'il n'y avait aucune place en ce monde pour elle. Sa mémoire corporelle s'est imprégnée de ce message, et elle passa sa vie dans le sacrifice et l'exploitation, souffrant amèrement de solitude, les autres n'étant jamais disponibles pour elle. Le « je ne suis personne pour personne » se poursuit inexorablement, copie conforme de « maman n'est pas là pour moi, elle est là pour mon frère mort-né ».

Les blessures du passé referont surface dans le couple. À prendre ou à laisser. L'erreur consiste à laisser en se disant : « Tant qu'à marier mon père et ma mère, je préfère rester seul (e). » Comment alors guérir cette blessure ? Notre inconscient qui réveille cette attraction vers l'autre ne cherche pas à nous punir, mais cherche à nous guérir en créant un contexte semblable. Résister à l'attirance envers l'autre, c'est également sombrer dans la souffrance de l'isolement. On évite peut-être la lutte avec l'autre, mais on s'épuise dans cette lutte intérieure, le corps poussé à aller vers l'autre, tandis que la raison court en sens inverse.

Pour réussir cette tâche de guérison, l'aide du conjoint sera précieuse. Pourra-t-il voir cet enfant blessé en moi qui s'exprime avec démesure tout en lui accordant son droit d'être, au lieu de le réprimer encore comme papa-maman ? Pourra-t-il m'accepter, malgré ma colère contre lui, et m'accorder sa présence ?

Reconnaître l'enfant en soi comme en l'autre exige à la fois beaucoup d'humilité et de maturité. L'humilité de reconnaître que je m'emporte parfois comme un enfant de deux ans et oser l'avouer à l'autre ; la maturité de rester suffisamment centré pour offrir la présence dont l'autre a besoin au moment précis où ses blessures d'enfance le font réagir. Arnaud Desjardins résume bien toute la difficulté de cette étape de guérison : « L'union d'un homme et d'une femme pourrait être une fête ·permanente de nouveauté et d'émerveillement, mais cela demande un cœur d'enfant joint à la pleine maturité d'un adulte capable de comprendre, d'agir, de donner et de recevoir. » Inutile de dire que cette maturité est rarement présente au début d'une relation de couple.

Au début d'une relation, chacun est d'abord centré sur ses petits besoins frustrés et tente vainement de contrôler l'autre pour le rendre conforme à ses désirs. La satisfaction tant souhaitée (« Donne-moi ce que je n'ai pas reçu jadis de papa-maman si tu m'aimes. ») est rarement atteinte. Par contre, la rage et la peine qui n'ont pas été exprimées jadis avec papa-maman risquent fort, elles, de s'exprimer, en pleine démesure, avec le conjoint.

Le couple, lieu de répétition des blessures anciennes ; oui, souvent d'ailleurs, uniquement lieu de répétition. Mais le couple, lieu de guérison aussi, grâce à cette répétition et à la compréhension de ce processus.

**Lieu de répétition :** ce que j'exprime avec démesure touche les blessures émotives de mon conjoint (il se sent coupable, agressé, non à la hauteur, etc.) et il réagit en se défendant, souvent en jouant le même scénario que mes parents ont joué.

**Lieu de guérison :** ce que j'exprime avec démesure touche mon conjoint sans le blesser, puisqu'il a reconnu mon enfant blessé et sait que cette rage que je lui lance en pleine figure ne s'adresse pas véritablement à lui. Il peut donc l'accueillir jusqu'au bout, sans m'agresser à mon tour, ou me rejeter, comme mes parents l'ont fait. Voilà le miracle de la compassion. J'ai pu exprimer, dans un contexte sécurisant (« Je t'aime toujours et je suis là pour toi. »), une colère imprimée dans mon corps depuis l'enfance. Mon être profond cesse d'être réprimé.

Ce qui n'a pu s'exprimer jadis avec papa-maman, dans une situation conflictuelle, est resté imprimé dans notre mémoire corporelle et cette im-pression intérieure cherche toujours à être évacuée dans une situation semblable, dans l'espoir de trouver une issue différente.

Le lieu du couple est un lieu de répétition, et c'est la raison pour laquelle il peut devenir un lieu de guérison : un lieu qui permet d'exprimer ce qui est imprimé et qui nous réprime, parfois jusqu'à nous supprimer à travers la maladie.

**Ce qui ne s'exprime pas
s'imprime,
nous réprime
et parfois nous supprime.**

L'amour, c'est cette présence qui supprime tout ce qui réprime l'autre, dans sa capacité d'exprimer ce qui est imprimé en lui.

L'amour, c'est savoir reconnaître que mon conjoint a deux ans lorsqu'il me pique une crise d'insécurité en m'agressant, et savoir l'accueillir comme un parent nourricier saurait intervenir en pareil cas, en lui accordant la présence, la présence d'amour qui guérit. Non pas tenter de sécuriser l'autre, simplement être présent à l'insécurité qu'il nous exprime. Voilà l'amour-conscience qui guérit.

La blessure d'origine que nous portons tous en nous est une blessure d'amour. Seule la présence guérit, puisque c'est l'absence qui a blessé.

Aimer, ce n'est pas nécessairement satisfaire les besoins de l'autre qui ont été frustrés dans l'enfance. C'est risquer de tourner en rond dans le piège du « pas assez ». Je ne peux plus donner la sécurité affective dont mon conjoint a été privé dans sa première année de vie lorsque sa mère dépressive était à l'hôpital. Cela ne sera jamais assez. Je puis cependant être présent à cette insécurité qu'il m'exprime. J'écoute, j'accueille cette insécurité, sans chercher à tout faire pour le sécuriser en me conformant à toutes ses demandes (ne rentre pas trop tard, etc.). Simplement être présent à lui. Ce faisant, je lui offre ce qu'on appelle une expérience correctrice. J'offre la présence d'une mère jadis non disponible qui permet de réparer cette blessure d'insécurité.

Si le couple est le lieu de la demande jamais entendue ou jamais exprimée, il peut devenir le lieu de la demande exprimée et entendue, non pas nécessairement satisfaite, mais entendue et exprimée. Ce n'est pas tant la satisfaction du besoin qui guérit, comme le fait qu'il soit exprimé et entendu.

Aimer l'enfant, ce n'est pas lui donner tous les bonbons qu'il réclame pour limiter ses pleurs, c'est lui dire non en restant présent à sa frustration et à sa colère. Aimer son conjoint, ce n'est pas toujours se conformer à toutes ses attentes (souvent infantiles) pour qu'il soit satisfait, c'est parfois dire non à sa demande tout en demeurant présent à lui.

Cette maturité ne peut se développer si on néglige l'existence bien réelle de notre enfant intérieur.

Lorsque j'enseigne à des couples à reconnaître leur enfant intérieur et à s'entraider, des changements rapides se produisent, à la grande surprise des conjoints d'ailleurs. Ils n'avaient jamais réalisé l'essentiel : l'existence de leur enfant blessé qui souffre du manque d'amour et de présence.

Je leur explique qu'en principe, le couple pourrait bien être le lieu où l'enfant intérieur recevra ce qu'il a si peu reçu de papa-maman. Mais, en pratique, le conjoint a justement été choisi (inconsciemment) pour raviver la même blessure émotive. Il jouera donc à nouveau le même rôle de bourreau. Au moment où j'aurai besoin de sécurité affective pour compenser l'absence émotive d'une mère dépressive, il deviendra alors froid et distant, comme maman jadis. Et même si ses blessures d'enfance n'entrent pas en interaction avec les miennes, malgré toute sa bonne volonté et ses efforts, je risque de souffrir du syndrome du « pas assez ».

Jamais le couple ne sera le lieu de satisfaction totale qui comblera mon enfant intérieur blessé. Soit parce que mon conjoint souffre de blessures émotives complémentaires aux miennes et contribue ainsi à la répétition de la blessure originelle. Soit que quelque chose en moi m'empêche de recevoir ce que je cherche tant et qui est pourtant disponible. Disponible, mais non accessible quand je suis victime du piège du « pas assez ». C'est alors l'insatiabilité d'un besoin qui réclame sans cesse. Ou encore, je ne peux croire à ce que mon conjoint m'offre ; c'est alors le piège du « pas possible ». Piège très souvent relié au piège du « faire pour » : tout faire pour obtenir ce que, de toute façon, je serai incapable d'assimiler, puisque je ne peux croire qu'on puisse m'aimer gratuitement. Ce sont en somme les trois pièges que nous avons abordés dans le chapitre sur l'amour : « faire pour » se faire aimer (bien paraître grâce au moi public), mais être alors aimé pour ce que je fais et non pour ce que je suis. Cet amour conditionnel à mon bien paraître et à mon bien faire n'est « pas assez », puisque mon besoin de base est d'être aimé pour ce que je suis. Et si on m'aime vraiment pour ce que je suis, j'entre parfois dans le piège du « pas possible », pas possible qu'on m'aime pour ce que je suis, puisque je n'ai même pas mérité cet amour inconditionnel de papa-maman.

Les motivations inconscientes qui nous poussent à la vie de couple nous font rechercher une satisfaction qui n'arrive jamais. L'autre ne nous donne toujours pas ce dont nous avons le plus besoin. L'enfer du couple, si on oublie de tenir compte de la présence de nos enfants intérieurs blessés. L'oasis du couple, si on saisit que le lieu du couple offre l'occasion non pas de recevoir ce qui n'a pas été reçu jadis, mais bien d'exprimer ce qui a été interdit jadis. Revivre la même blessure pour enfin la guérir, en laissant s'exprimer ce qui est imprimé dans notre corps depuis des années.

L'amour-guérisseur, c'est reconnaître mon enfant blessé et le laisser crier son mal à l'autre. L'amour-guérisseur sait reconnaître aussi l'enfant blessé de l'autre et le laisse crier sa souffrance jusqu'au bout, en lui offrant la présence, cette seule présence qui possède le don de guérir en permettant l'expression de ce qui fait pression en moi, logé dans les tréfonds de mon inconscient.

Lorsque la blessure a pu être criée jusqu'au bout, et qu'elle a pu être entendue jusqu'au bout, le passé cesse de contaminer le présent. La présence offerte et reçue permet de vivre dans le présent. L'enfant intérieur reprend sa croissance là où elle s'est arrêtée jadis, parce qu'il n'y avait pas d'espace d'expression et d'accueil.

Arnaud Desjardins résume bien la maturité qui doit se développer au sein du couple. «Devenir adulte, c'est cesser de demander uniquement, c'est cesser de recevoir uniquement, c'est écouter la demande et donner, et répondre. (…) Devenir adulte, c'est apprendre à être, "être", c'est être libre d'avoir, libre du besoin d'avoir et d'avoir sous toutes ses formes.»

Le couple, c'est d'abord deux enfants blessés qui grandissent et deviennent plus adultes. Le concept d'enfant intérieur peut sembler une belle théorie, et pourtant, rien de plus concret que cet enfant intérieur qui revit ses blessures d'enfance en thérapie.

## L'enfant intérieur en thérapie

Une vision juste du couple, c'est d'abord et avant tout savoir que notre première histoire d'amour avec papa-maman teintera toutes nos relations d'amour subséquentes, pour le meilleur comme pour le pire. Ces premières histoires d'amour laissent bien des souffrances qui s'impriment dans notre mémoire corporelle. Le corps se souvient toujours de ce que le mental a oublié depuis fort longtemps.

Voici un exemple illustrant comment le corps se souvient de sa première relation avec papa-maman.

Pierre regarde une chaise vide et je lui demande d'imaginer, de sentir, de penser à maman, comme si elle était assise sur la chaise. Après quelques instants, je lui demande ce qui se passe dans son corps.

Pierre  — J'ai mal au cœur, je ressens une pression à la poitrine et des
         tremblements.
         (J'avance la chaise symbolisant la mère.)
         — Que se passe-t-il dans ton corps lorsque j'avance la chaise ?
Pierre  — J'ai un point douloureux dans l'estomac et mon mal de cœur
         augmente.
         — Qu'est-ce qui arrive si tu touches à maman ?
Pierre  — Je suis incapable, je n'en ai pas envie. (Il rit nerveusement
         et sa respiration est de plus en plus saccadée.)
         — Que sens-tu dans ta gorge ?
Pierre  — Comme une boule.
         — Veux-tu juste essayer de toucher à maman pour voir ce qui
         va se passer dans ton corps ?
         (Pierre touche à la chaise, il a des haut-le-cœur, il a de plus
         en plus mal à l'estomac.)
         — Laisse venir un mot ou une phrase et exprime ce mot ou
         cette phrase à maman.
Pierre  — Pourquoi ? Pourquoi ?

Pierre éclate en sanglots. Son corps peut maintenant laisser
s'exprimer toute la peine qu'il a refoulée. Étant un enfant adopté, Pierre
ressent son sentiment d'abandon mêlé de plus en plus à la rage qu'il
ressent intensément, avec étonnement. Il ressent la haine contre sa mère
pour la première fois.

         — Qu'est-ce que tu as envie de dire à maman ?

Et voilà que Pierre se met à agresser verbalement sa mère en la
traitant de tous les noms.
Étrangement, il est venu en consultation parce que sa compagne
ne peut plus supporter sa violence verbale. C'est elle qui reçoit toute
la colère qu'il a ravalée contre sa mère. Sa colère s'est déplacée sur
une autre personne, trente ans plus tard.
Au fil des rencontres, le corps réagit de moins en moins lorsque
je lui demande de toucher à la chaise symbolisant maman. Le corps se
décharge du passé. Il commence à vivre au présent. Ses relations avec
les autres et avec lui-même changent. Nous sommes remontés à ce que
j'appelle le lieu du crime et de la blessure, le corps s'est ressouvenu de
ses souffrances, les a exprimées et s'en est libéré.
En décontaminant émotivement la relation originelle avec sa mère,
toutes les autres relations actuelles sont susceptibles de s'améliorer.
Lorsque la colère s'adresse maintenant à la bonne personne (la chaise-
mère), le corps, libre de ses tensions, n'a plus besoin de se décharger
sur le conjoint ou les autres personnes.

L'enfant intérieur est toujours présent dans notre corps d'adulte et tant et aussi longtemps qu'il n'est pas reconnu dans son droit d'expression et dans ses besoins, il déforme le présent et provoque des réactions émotionnelles répétitives.

Le corps se souvient de quelque chose, ce quelque chose qui est toujours imprimé dans l'inconscient corporel, pour qui le temps n'existe pas. Ce qui s'est passé il y a trente ans est toujours présent, comme si l'événement venait tout juste d'arriver. Jadis, l'expression émotionnelle n'avait pu se faire, la charge était restée imprimée dans le corps, en réprimant la personne à différents niveaux, que ce soit la respiration, la capacité de ressentir certaines émotions ou certains besoins, ou encore l'incapacité d'agir dans ses projets les plus importants.

Les mécanismes de refoulement d'hier, qui nous ont sauvé la vie dans l'enfance, pour nous couper d'une situation intolérable, deviennent, à l'âge adulte, les mécanismes qui contribuent au mal-être et à la maladie. Maintenir toutes les blessures émotionnelles dans l'inconscient coûte cher en énergie. Cette énergie n'est plus disponible pour nous réaliser, aller de l'avant, nous ouvrir et nous transformer.

Je vous ai illustré très brièvement la manifestation concrète de l'enfant intérieur en thérapie. Dans le couple, la chaise vide qui représente papa-maman n'est nul autre que le conjoint. De même que lorsque j'avance la chaise vers le client, il sent une oppression, lorsque l'intimité s'accroît entre les conjoints, les mécanismes de défense sont mis en opération pour nous éviter de ressentir la blessure d'amour originelle. Il est difficile à mon client de fuir la « chaise-mère » dans mon cabinet. Mais, dans le couple, toutes les fuites sont bonnes pour éviter de passer à travers la blessure. La peur nous fait passer à côté, mais le modèle demeure et nous ramène à la même case départ. Et voilà que nous oscillons entre l'intimité chaleureuse et la froide distance, incapable de savourer pleinement l'unité à laquelle nous aspirons.

Si la thérapie de l'enfant intérieur permet « un retour du refoulé » dans ce contexte sécuritaire et accueillant, ce même « retour du refoulé » se produit dans le couple. C'est la raison pour laquelle il faut se donner certaines règles pour en arriver à cette guérison intérieure qui rendra possible la véritable intimité créatrice. Sans ces règles qui nous empêchent de fuir l'intimité, nous ne faisons que répéter le même scénario, la même blessure.

## Le défi de l'intimité

Nous créons un couple pour vivre l'intimité. Du moins, nous l'espérons. Mais l'intimité ne relève pas seulement de la bonne volonté.

L'intimité suppose le dépassement d'innombrables peurs enfouies dans notre mémoire corporelle. L'intimité, la proximité, la complicité représentent des besoins de base importants. Mais lorsque ce besoin de contact affectif a été associé à des blessures émotionnelles, le corps garde toujours en mémoire le danger associé à la satisfaction de ce besoin d'intimité.

Examinons les possibilités de satisfaction ou de frustration des besoins[30].

### Le cycle de la satisfaction

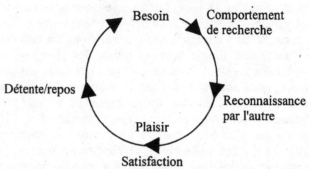

Observons un bébé qui a faim. Le comportement de recherche pour satisfaire son besoin sera de pleurer et de s'agiter. La mère reconnaît son besoin en lui présentant le sein. Il satisfait son besoin, puis entre dans une phase de détente et de repos, en attendant que ce besoin émerge à nouveau quelques heures plus tard.

Évidemment, le besoin de l'enfant ne trouvera pas toujours satisfaction au moment où il le veut. C'est d'ailleurs ce délai entre le besoin ressenti et sa satisfaction qui lui permet de se différencier de tout ce qui l'entoure, de devenir un être distinct de son environnement.

L'enfant fait l'expérience de la réalité par la frustration. Il connaît ainsi non seulement le plaisir, mais la douleur liée au manque.

### Le cycle de la douleur

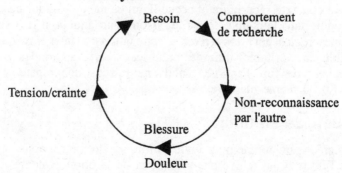

---

30. Les schémas sont inspirés de J. Konrad Stettbacher, *Pourquoi la souffrance*, Aubier, 1991.

Dans le cycle de la douleur, la mère ne répond pas au besoin de l'enfant. La douleur a remplacé la satisfaction. Le corps est construit pour faire face à cette réalité. L'Univers n'est pas toujours là, au bon moment, pour combler le moindre de nos besoins. Le principe de plaisir instantané doit faire place au principe de réalité plaisir/déplaisir. Mais, parfois, la douleur devient tellement forte que des mécanismes de défense entrent en jeu pour diminuer la souffrance.

### Le cycle de la souffrance

Besoin — Recherche/évitement

Haine, rage, désespoir, etc.

Crispation/ douleur anticipée

Accroissement de la tension — Souffrance — Réponse inadéquate de l'adulte

Douleur/plaisir/douleur

Considérons toujours que le bébé a faim, mais que maman répond mal au besoin de l'enfant en lui présentant un biberon trop chaud. Un besoin de faim intense, normalement satisfait dans le plaisir, est associé à la douleur. Le bébé veut boire parce qu'il a faim mais, en même temps, il évite de boire parce que cela fait mal. Il y a donc une blessure. L'ambivalence s'installe. Il y a à la fois une recherche de satisfaction et un comportement d'évitement de la douleur. La crainte s'installe chaque fois que la faim émerge à la conscience. L'expérience se grave dans sa mémoire corporelle. D'autres expériences positives finiront par effacer cette mauvaise expérience. Mais si la même situation douloureuse se répète trop fréquemment, l'enfant ressent son besoin de se nourrir avec peur. Chaque fois que la faim se fait sentir, la peur de la douleur monte en même temps, faisant de l'allaitement un véritable champ de bataille.

Illustrons cette ambivalence en étudiant ce cas pris dans la littérature d'une jeune mère qui vient d'accoucher. Le bébé manifeste un comportement de recherche de satisfaction en pleurant pour exprimer sa faim. Toutefois, l'enfant refuse le sein de sa mère, de même que le biberon qu'elle lui donne. Le médecin, ne voyant aucune anomalie physique, demande à une autre patiente qui vient d'accoucher d'allaiter l'enfant. Ce dernier accepte volontiers le sein de cette mère adoptive. Le médecin est donc certain qu'aucune raison physiologique n'explique le refus de l'enfant. Nouvelle tentative d'allaitement par sa vraie mère. Nouvel échec. Que s'est-il passé ? En questionnant la mère, le médecin découvre qu'elle a eu cet enfant pour faire plaisir à son mari, qui se refusait à l'avortement. Quant à elle, l'avortement aurait été son choix.

Dès la naissance, le bébé est prisonnier du cycle de la souffrance. «J'ai besoin d'amour (recherche de satisfaction), mais je ressens le rejet (évitement).» Le bébé, qui a senti le rejet maternel, rejette à son tour la mère, même au détriment de sa vie.

Les blessures d'amour, tout au long de notre enfance, sont très nombreuses, et ce, malgré les meilleures intentions des parents. Prenons une scène apparemment banale. Une enfant de deux ans demande à sa mère de la prendre dans ses bras. «Tu es trop grande» est la seule réponse à sa demande. Après quelques refus, la fillette comprend qu'elle n'est pas aimée quand elle ressent et exprime ce besoin d'affection. Elle apprend à ne plus ressentir ce besoin de contact (évitement). «Puisque maman m'aime quand je suis grande, je vais éviter de ressentir ce besoin de petite fille.»

Pour être aimée, la fillette refoule son besoin de contact. Une fois adulte, elle est susceptible de se sentir mal dans les situations d'intimité physique, ne sachant pas trop comment réagir devant des manifestations de chaleur et de tendresse. Comme elle a pu se passer de la tendresse de sa mère à deux ans, elle peut bien décider de se passer de cette tendresse toute sa vie. Sa mémoire corporelle, qui échappe totalement à sa mémoire consciente, contient l'information que le besoin de contact physique est mauvais et souffrant parce qu'il ne peut être satisfait. La solution consiste à enfouir ce besoin dans l'inconscient. «Je me débrouille seule dans la vie, je n'ai besoin de personne.»

Observons maintenant Julie en thérapie, lorsqu'elle parle de son père. Je remarque alors une tension dans sa voix. Je lui propose de s'adresser directement à son père, assis symboliquement sur une chaise. Son visage rougit, la peine monte, elle éclate en sanglots. «Pourquoi tu ne m'aimes pas? Qu'est-ce que je t'ai fait?» Une scène lui revient, lorsqu'elle avait cinq ans. Son père arrive du travail. Toute contente, Julie accourt vers lui pour lui donner un gros bec sur la bouche. Elle voit alors son père s'essuyer. À l'époque, elle n'a eu aucune réaction émotionnelle, si ce n'est que de rester estomaquée. Trente ans plus tard, la peine, toujours imprimée dans l'inconscient corporel, s'exprime enfin.

Bien sûr, le geste de son père n'a rien de traumatisant en lui-même. Bien des adultes font la même chose en recevant un gros bec mouillé de leurs enfants. Il faut replacer le geste dans le contexte familial pour comprendre l'interprétation de Julie. Son père ne se cache pas pour avoir des maîtresses et Julie le sait. À cinq ans, il est tout naturel qu'elle se sente proche de son père et son geste est évidemment perçu comme un rejet. «Tu n'aimes pas maman et, en plus, tu aimes les autres femmes plus que moi.»

Vous ne serez sans doute pas surpris si je vous dis que Julie se montre très ambivalente dans ses rapports avec les hommes. Elle craint de souffrir et redoute surtout l'infidélité de son partenaire. Elle est prise au piège de la recherche d'intimité et de l'évitement de la souffrance qui y est associée. Plus une relation amoureuse est riche d'intimité, plus la peur augmente et réveille la nécessité de créer une distance pour se protéger. Comme le dit si bien Stettbacher : « Tant que nous souffrons de tensions dues à des blessures, des surcharges émotionnelles ou des privations, nous vivons sans le savoir à la merci de notre passé. » Et ce passé remontera nécessairement dans le présent du couple, créant le syndrome du yo-yo, en ce qui concerne la recherche/évitement de l'intimité.

Le conflit recherche/évitement peut conduire également au besoin de substitution. L'enfant peut toujours sucer son pouce faute de biberon, ou étreindre son chien en peluche. Parfois, la substitution est très subtile et émerge à l'âge adulte. Tel cet homme d'une trentaine d'années qui pratique le karaté, mais qui se blesse fréquemment. Pourquoi persiste-t-il ? Il a eu un père très autoritaire et froid, très peu porté aux contacts physiques. Un jour, en thérapie, il prend conscience qu'il pratique le karaté pour être en contact physique avec un homme substitut de son père. Le contact chaleureux avec le père cherche en vain à se satisfaire dans ce corps à corps permis par le karaté.

Les besoins de substitution peuvent prendre des formes multiples : cigarette, alcool, connaissances (livres, diplômes), travail, rendement. La vraie satisfaction ne s'atteint jamais puisque, en définitive, c'est l'amour qui est toujours recherché derrière un objet de satisfaction substitut.

Notre mémoire corporelle garde en elle les conséquences des expériences que nous avons vécues. Il est certes avantageux que l'enfant apprenne de ses expériences douloureuses. Il apprendra très rapidement qu'on ne joue pas avec un couteau dans une prise de courant sans conséquence néfaste. Peut-être qu'une fois adulte, il aura en horreur les fils électriques, sans savoir vraiment pourquoi.

La mémoire corporelle enregistre également les expériences douloureuses au plan relationnel. La petite fille, qui a vécu l'inceste à deux ans, peut se « rappeler » corporellement qu'une relation d'intimité avec un homme est source de souffrance. Cette expérience peut teinter toutes ses relations amoureuses. Elle est susceptible de redouter d'être prise comme objet sexuel en se méfiant des hommes, ou en niant ses besoins sexuels, comme elle pourra être à la recherche de l'amour, d'aventure en aventure, parce qu'elle aura conclu que c'est seulement par son corps qu'elle peut mériter l'amour (besoin de substitution).

Nous avons tous connu des expériences douloureuses avec papa-maman, même si nous n'en gardons aucun souvenir. Cela n'a pas toujours été la lune de miel avec maman, et nous avons vécu de multiples déchirures : le sevrage, les interdictions, la venue d'un nouveau frère, l'entrée à l'école, etc. Plusieurs renoncements sont inévitables et sont susceptibles de laisser des empreintes dans notre mémoire corporelle. Plus tard, dans la recherche d'intimité avec autrui, une lumière rouge s'allume dans notre inconscient : « Attention, si tu t'approches trop, tu fais trop confiance, tu aimes trop, tu vas avoir mal. Tu seras trahi comme avec maman qui t'a abandonné pour ton frère. »

Notre mémoire corporelle a enregistré les expériences relationnelles positives comme négatives que nous avons connues depuis notre origine. Tout se passe comme si nous avions en nous l'image de la bonne mère et du bon père, comme l'image de la mauvaise mère et du mauvais père. Inévitablement, le couple sera le lieu de projection de ces images. Alors que ce sont les images positives du bon parent intériorisé qui dominent dans la période de lune de miel et qui sont projetées sur l'être aimé, ce sont les images négatives qui seront projetées sur l'autre qui devient alors le mauvais parent à l'étape de la lutte de pouvoir.

En d'autres termes, lorsque je tombe amoureux, je deviens amoureux de l'image positive de papa-maman que j'ai projetée à l'extérieur sur mon « objet » d'amour. Et lorsque cette lune de miel prend fin et que s'engage la période de lutte de pouvoir, c'est alors le mauvais parent qui est perçu en l'autre. L'autre devient cette mauvaise mère qui n'est jamais assez disponible ou ce mauvais père agressif. Comment, en si peu de temps, l'autre a-t-il autant changé ? En fait, l'autre n'a pas véritablement changé, c'est notre perception de lui qui s'est transformée. L'idéalisation des premiers mois a cédé la place au principe de réalité : l'autre n'est pas que gentil, il est aussi mauvais, parce que frustrant, comme papa-maman jadis.

Il ne faut pas croire cependant que le conjoint n'est qu'une projection d'images qui n'a rien à voir avec ce qu'il est en réalité. Certes, la perception que nous avons de lui est déformée, mais il renferme bel et bien des traits de caractère positifs et négatifs, semblables à papa-maman. Il est bien connu que l'on choisit des conjoints qui nous feront revivre les mêmes blessures affectives de l'enfance. Statistiquement, nous savons qu'une fille d'un père alcoolique a plus de chances de choisir un homme qui a des problèmes d'alcool. Même chose en ce qui concerne un contexte de violence familiale. La relation de couple risque de devenir la réplique de la famille d'origine. Soit la personne est toujours victime du conjoint violent, soit la victime d'hier devient le bourreau d'aujourd'hui. C'est souvent ce que l'on constate en examinant les personnes incarcérées pour crimes violents contre la personne. La plupart du temps, ces criminels ont été victimes de violence dans l'enfance. Leur passé contamine leur présent, et ils ne font que tenter de guérir leurs blessures émotionnelles en blessant autrui. Rien n'a vraiment changé, sauf qu'ils se retrouvent dans le rôle de l'agresseur au lieu d'être une victime comme autrefois. Ce changement de rôle de victime à celui d'agresseur s'observe également chez certaines mères qui ont été battues dans leur enfance. Elles vivent la crainte d'agresser à leur tour leurs enfants.

Nous comprendrons de plus en plus que l'inconscient joue un rôle prépondérant dans la dynamique conjugale. Même avec les meilleures intentions du monde, et en voulant réussir à tout prix cette relation d'intimité, les mêmes difficultés rencontrées dans l'enfance risquent de faire surface. L'inconscient nous conduit à faire ce que nous ne voulons pas et à ne pas faire ce que nous voulons (paroles d'apôtre!).

L'intimité ne va pas de soi et on comprend maintenant pourquoi on entend si fréquemment ce genre de phrases : «Dès que je fais l'amour avec une fille, elle ne me dit plus rien.»; «Nous jouons au yo-yo, je m'approche, elle s'éloigne. Elle s'éloigne, je m'approche.»; «Soit je m'entends bien, mais ne le désire pas, soit je le désire passionnément, mais ne ressens aucune affinité.» L'intimité sur les plans physique, affectif et spirituel est rare. Plus on s'approche de cette intimité complète, plus on s'approche également de nos blessures d'amour d'enfance, et nous entrons alors dans le cycle de la souffrance recherche/évitement, d'où les distances qui suivent les rapprochements, les querelles monstres qui suivent l'harmonie. S'engager à vivre l'intimité, c'est s'engager à affronter les zones d'ombre, ce refoulé en soi qui tentera de refaire surface à la lumière de notre conscience.

*
* *

---

### La vision juste du couple, c'est

### SAVOIR

- que le conjoint n'est nul autre que papa-maman quand l'émotion intense d'attraction ou de répulsion me conduit hors de moi ;

- que je regarde souvent mon conjoint avec les yeux de mon enfant intérieur qui cherche à recevoir ce qu'il n'a pas reçu, à guérir ce qui a été blessé et à exprimer ce qui a été réprimé ;

- que le couple sera le lieu de la répétition des blessures d'enfance, et de leur guérison éventuelle, moyennant un certain savoir-faire qui favorise une interaction juste.

---

## L'action juste dans le couple : le savoir-faire

De la théorie à la pratique, du savoir au savoir-faire, il existe un océan qui les sépare. Le savoir-faire repose sur certaines habiletés à maîtriser, et il n'est pas toujours aisé de mettre en œuvre le comportement satisfaisant. Comment nous outiller pour traverser toutes les étapes du couple évolutif ? Quelles sont les attitudes à adopter pour faire du couple un lieu d'évolution ? Nous explorerons dans les pages qui suivent certaines habiletés à développer pour faire du couple un lieu où la conscience s'épanouit.

### LA CULPABILITÉ

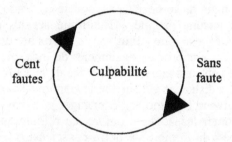

Le couple repose sur l'engagement à vivre à deux. Nous aspirons à rendre notre partenaire heureux, et nous nous attendons plus ou moins consciemment à ce qu'il contribue aussi à notre bonheur. Toutefois, vouloir faire le bonheur de l'autre reste une mission très périlleuse. De même, remettre son bonheur personnel entre les mains d'une autre personne conduit souvent à la frustration et au ressentiment quand elle échoue dans sa mission.

Pour ces personnes qui en ont assez des missions impossibles, il existe ce que j'appelle le club des « sans faute ». La philosophie du club repose sur la responsabilité de chacun à assumer ce qui lui arrive et se formule ainsi :

> **« Je suis responsable de tout ce qui m'arrive, de mon bonheur, comme de mon malheur, et ce n'est ni de ma faute ni de la tienne si je suis malheureux, mais c'est ma responsabilité de penser à ce que je peux faire, ou à ce que nous pouvons faire ensemble pour améliorer la situation. »**

Que signifie « être responsable de mon bonheur, comme de mon malheur » ? Simplement que je n'accorde à personne, ni à aucun événement, le pouvoir d'être cause de mon malheur.

Si je ne me reconnais pas comme responsable de mon malheur, mon premier réflexe consiste à attribuer cette responsabilité à une cause extérieure : l'autre, Dieu, le gouvernement, la vie, etc. Et je deviens une pauvre victime qui souffre à cause de quelqu'un ou de quelque chose qui ne relève pas de mon pouvoir. Ce point de vue n'est-il pas celui qui engendre la véritable cause de mon malheur : ce sentiment de victime impuissante qui ne peut que se plaindre de son sort injuste ?

Que signifie «être responsable de mon bonheur, comme de mon malheur» ? Simplement cesser de blâmer autrui pour mon malheur, sans oublier de cesser de me blâmer moi-même.

Dans la vie plusieurs clubs de responsabilité existent : les clubs du «**ta faute**», «**ma faute**», «**notre faute**» et, le plus récent, celui du «**sans faute**». Ce dernier club ne connaît pas encore la faveur populaire, faute de publicité sans doute. Il faut dire que tous ses membres proviennent des trois premiers clubs, lassés des «**c'est ta faute, ma faute, notre faute**» ; ils ont convenu de jouer au jeu du sans faute. Ce n'est ni de ta faute ni de ma faute si je suis malheureux, mais c'est maintenant **ma** responsabilité de transformer ce mal-être en mieux-être. C'est opter pour la position existentielle qui offre le plus de pouvoir de changement. La position du «ma faute» est culpabilisante pour soi ; celle du «ta faute» est culpabilisante et agressante pour le «coupable». Ces deux positions se traduisent souvent par l'impuissance à changer quoi que ce soit. La position du «notre faute» n'offre pas beaucoup plus de pouvoir d'action. La position du «sans faute» représente la voie du pouvoir sur son bien-être. Si je suis responsable de mon malheur, je suis tout aussi responsable de mon bonheur, et cette responsabilité n'appartient qu'à moi.

Il peut sembler paradoxal que la notion de responsabilité cohabite avec celle du sans faute. Si je suis responsable, c'est de ma faute ! N'est-ce pas logique ? C'est très logique, mais inutile !

Que fait la justice ? Elle cherche des coupables et punit des coupables. Elle punit le meurtrier, le voleur, le violeur, le fraudeur, en causant leur malheur, mais est-ce qu'elle rend le bonheur aux victimes ? Elle cherche qui a raison et qui a tort, punit certainement celui qui a tort, et parfois récompense celui qui a raison. Mais, pendant tout ce temps, c'est la justice qui détient tout le pouvoir de punir ou de récompenser, le pouvoir de malheur, comme le pouvoir de bonheur.

Le club des «sans faute» n'est pas un lieu où l'on recherche des coupables, c'est un lieu d'êtres responsables. Un lieu où l'on apprend à agir, à décider, à créer, à investir son énergie pour son bien-être. Le club des «sans faute» comprend certains membres remarquables, telle cette femme violée dans des conditions brutales qui disait : «Il m'a pris une nuit, cela a été suffisant, les autres nuits m'appartiennent.» Et pourtant, ce violeur est judiciairement coupable : c'est de sa faute si cette femme a souffert, mais même s'il devait passer vingt ans en prison, cela ne changerait rien à ce qui s'est passé. Ce n'est pas la justice qui a redonné le bonheur à cette femme. Elle a été l'artisan de son propre bonheur en adoptant une attitude de croissance qui l'a aidée à guérir de cette blessure. D'autres femmes, dans les mêmes conditions, ne sont pas plus heureuses de voir leur agresseur emprisonné, certaines en porteront les séquelles toute leur vie, certaines même se suicideront.

Faire partie du club des «sans faute» signifie ne laisser à personne le pouvoir d'engendrer mon malheur. Ma responsabilité consiste à traverser une situation douloureuse avec le moins de mal-être possible. Et cela est seulement possible quand je me reconnais la responsabilité (**le pouvoir**) de transformer ce qui arrive pour mon mieux-être.

La responsabilité, c'est le **pouvoir d'être** et de **faire**. Toute l'énergie doit être dirigée vers ce pouvoir de transformation et de guérison. La responsabilité de sa vie n'a rien à voir avec la volonté de trouver quelqu'un ou quelque chose à blâmer; de trouver le coupable pour se venger. La vengeance n'est pas la meilleure source de bien-être.

Même si c'est vraiment la faute de l'autre si je souffre aujourd'hui, cela ne change rien, je suis **toujours** responsable de mon bien-être comme de mon mal-être.

Regardons cette femme de trente ans qui a été victime d'inceste pendant plus de six ans. Le drame a commencé lorsqu'elle avait deux ans. Ce n'est certes pas de sa faute; nous admettons tous qu'elle n'a rien fait pour provoquer cette situation. Une fillette de deux ans n'a certainement pas incité à l'inceste. Légalement, c'est la faute du père, il est reconnu coupable par la loi. Du côté de la victime, elle peut haïr son père, lui en vouloir pour les séquelles qu'elle porte en elle et qui handicapent sa vie, comme elle peut s'en vouloir à elle-même parce qu'elle aurait dû le dire à sa mère ou n'aurait pas dû se laisser faire. Mais, maintenant qu'elle a trente ans, c'est sa responsabilité de se libérer des chaînes émotionnelles du passé. Et la meilleure position pour actualiser cette responsabilité est celle du «sans faute».

Malgré tout ce que j'ai pu vivre de traumatisant, malgré tout le tort qu'ont pu me causer les autres, malgré tout le poids de mon passé, je possède le **pouvoir** de me libérer, de me transformer, si j'en prends la **décision**. Cette femme violée, qui a décidé de n'accorder qu'une seule nuit à son agresseur, n'a pas fait que fuir sa blessure en faisant comme s'il n'y avait rien eu. Elle a vécu sa blessure intensément, puis s'est posé la question suivante: «Maintenant, qu'est-ce que je fais avec ce qui est arrivé?» Si elle avait décidé de lui en vouloir toute sa vie, il l'aurait violée encore chaque nuit...

Adhérer au club des sans faute est la voie royale qui conduit au pouvoir de transformation. C'est la première étape qui rend possible le couple évolutif.

Club international des
*SANS FAUTE*

*Je suis responsable de mon bonheur comme de mon malheur.*

_____

*Signature*

\*
\* \*

Pour certains couples, le simple fait d'adhérer au club des sans faute produit un changement très rapide, surtout quand leur principal sujet de conversation consiste à déterminer qui a commencé le premier, ou qui doit avoir raison. Cesser de blâmer l'autre constamment change considérablement la dynamique de la relation. Deux partenaires qui voient les choses différemment ont tous les deux raison, au même titre que deux alpinistes qui escaladent la même montagne, mais sur des versants différents, et qui décrivent des paysages différents. L'un n'a pas tort tandis que l'autre a raison ; ils font la même chose, sur la même montagne, mais avec un point de vue différent.

Avec de la bonne volonté, il est relativement aisé de cesser de blâmer l'autre. Il est souvent plus difficile de cesser de se blâmer soi-même lorsqu'on souffre de « culpabilite » qui nous amène à confondre culpabilité et pseudo-culpabilité.

Bien des souffrances inutiles découlent d'une confusion entre culpabilité et **pseudo-culpabilité**.

Il est sain de me sentir coupable si j'ai fait du tort à autrui. Dans ce cas, ma culpabilité m'amènera à vouloir réparer si c'est possible, à m'excuser sinon, et surtout à éviter de recommencer.

Le psychopathe, qui se caractérise par une absence de culpabilité, n'a jamais de remords pour quoi que ce soit, et ne se préoccupe que de sa petite personne, en tentant d'exploiter les autres de toutes les façons possibles. En ce sens, il est « malade » par absence de sentiment de culpabilité, ce qui peut facilement rendre les autres malades de rage !

Mais plus souvent, c'est la culpabilité mal placée qui rend malade...

Et nous voilà aux prises avec la « maladie » de la **pseudo-culpabilité**, la « culpabilite » ! Mes enfants ne réussissent pas à l'école, je suis coupable. Mon conjoint me trompe, je suis coupable. J'ai perdu mon emploi, je suis coupable. En somme, je me sens toujours fautif.

J'ai le dos tellement large que toutes les fautes (péchés !) du monde me causent effectivement des maux de dos.

La pseudo-culpabilité s'apprend dans l'enfance. C'est une arme de choix pour les parents qui cherchent à contrôler l'enfant. Le sentiment de culpabilité devient le gardien de tous les interdits prescrits par l'autorité parentale. Je dérange papa-maman, je me sens coupable ; je leur fais de la peine, je me sens coupable ; je désobéis, je me sens coupable.

Et voilà qu'à vingt ans, j'entre dans la vie adulte, condamné à vivre pour les autres, centré exclusivement sur leurs besoins, leurs attentes, leur bien-être, si souvent culpabilisé par leur malheur, comme si j'en étais la cause.

Culpabiliser autrui comme se culpabiliser soi-même est tout à fait inutile. Un coupable n'a, dans la vie, qu'un choix, celui d'expier... et quelle est l'utilité de cette expiation pour soi ou les autres ? Il est beaucoup plus utile de pardonner, de se pardonner et d'agir plus judicieusement, maintenant plus riche de son expérience.

Si la vraie culpabilité est un sentiment très utile pour grandir en conscience de soi, en apprenant le respect d'autrui, la pseudo-culpabilité est un obstacle de taille sur le chemin de la Conscience.

Il est donc important de savoir discriminer culpabilité et pseudo-culpabilité. Et ce n'est pas si difficile... Il s'agit de se poser une question :

### Est-ce que mes attitudes ou mon comportement manquent de respect ou entravent la liberté d'autrui ?

Si la réponse est oui, alors il est sain de ressentir une culpabilité qui freine mes tendances égoïstes. Si la réponse est négative, et que je me sente quand même coupable, je souffre de pseudo-culpabilité.

Je me sens coupable lorsque je dis non à un service demandé bien que je ne sois pas disponible. Ma culpabilité m'empêche justement de dire non à l'autre. Je n'ose refuser parce que je vais me sentir **égoïste**, donc **coupable**. C'est une équation que l'on rencontre fréquemment dans la pseudo-culpabilité. Je suis **coupable d'être égoïste**. Et être égoïste se résume trop souvent par : « Ne pas faire passer l'autre d'abord. » Ce qui revient à dire que s'occuper de soi est égoïste.

Je me sens coupable de parler de mon mal-être à mon conjoint, je ne veux pas l'ennuyer, le déranger. Est-ce que je lui manque de respect ou entrave sa liberté en m'ouvrant à lui ? **Non.** C'est donc ma **pseudo-culpabilité** qui m'emprisonne dans mon silence et ajoute à ma souffrance. Tant que mon conjoint ne me signifie pas qu'il ne veut rien entendre de mon vécu, c'est moi-même qui m'emprisonne derrière les barreaux de ma pseudo-culpabilité qui m'amène souvent à penser à sa place : « C'est certain que je vais le déranger. »

La pseudo-culpabilité est une « maladie » de l'**interdit**. Et contre l'interdit, seul existe le remède de la **permission**. Dès que je reconnais la souffrance liée à ma pseudo-culpabilité qui entrave la satisfaction de mes besoins, je peux m'accorder la permission d'agir malgré le sentiment de **pseudo-culpabilité** qui m'envahit. Mon conjoint me demande, à la dernière minute, de modifier une activité prévue depuis longtemps qui me tient à cœur. Est-ce que je lui manque de respect et entrave sa liberté en refusant ? Non. Je m'accorde alors le droit de **respecter mes propres besoins et d'assumer ma liberté** en choisissant d'accomplir cette activité. Bien sûr, je peux renoncer à mon programme, c'est aussi ma **liberté**, mais ce n'est plus la culpabilité qui motive ce renoncement.

En m'accordant le droit d'agir malgré mon sentiment de culpabilité, je lui enlève son pouvoir inhibiteur, son pouvoir d'interdiction. Les barreaux de ma prison intérieure s'élargissent, s'amincissent. Arrive un jour où je quitte cette prison pour vivre avec autrui au lieu de vivre « sous » lui, en passant toujours en second. J'apprends à vivre une relation égalitaire, en considérant mes besoins comme aussi importants que ceux des autres. Et, sur cette base égalitaire, un terrain de négociations peut conduire à une satisfaction plus grande, parce que je suis plus libre d'exprimer mes besoins.

Le but de la liberté ne consiste pas à anesthésier sa culpabilité. Le but consiste à se traiter sur le même pied que tous ses semblables.

L'adhésion au club des « sans faute » permet d'aborder la relation de couple sur un mode égalitaire, dans un contexte de responsabilisation, sans qu'il y ait de perdants ou de coupables.

L'attitude juste concernant la culpabilité se résume ainsi :

> **Ce n'est ni de ma faute, ni de ta faute, ni de notre faute s'il y a insatisfaction. Que pouvons-nous faire chacun individuellement ou ensemble pour améliorer la situation ?**

*
* *

Si j'ai mis beaucoup d'importance sur le thème de la responsabilité et de la culpabilité, c'est parce que l'adhésion au club des sans faute facilite la pratique des autres outils de croissance qui suivent. La plupart des conflits ne se résolvent jamais dans un contexte culpabilisant pour soi, ou pour l'autre. L'ego se referme automatiquement et la communication devient impossible.

Le couple qui adhère à cette philosophie spirituelle, qui enseigne que l'on s'attire tout ce qui nous arrive dans un but d'apprentissage et d'évolution, cesse de s'empêtrer dans une culpabilité victimisante et mobilise tout son pouvoir de changement. Même si cette idéologie était le plus beau mensonge que les sages aient inventé, il n'en demeure pas moins qu'elle offre un climat de communication beaucoup plus créateur. Et le club des « sans faute » conduit peu à peu au super-club des « sans faute » et des « mille pouvoirs » !

## LA COMMUNICATION

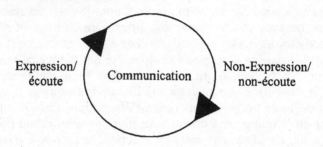

**Communication** : commune-action : comme-une-action. Je définis ici la communication comme l'action de mettre en commun une information. Tous les couples connaissent des blocages de communication. Soit une fermeture trop marquée caractérise l'un ou l'autre des partenaires, et l'information ne s'échange pas. Soit l'information circule, mais elle est déformée par une mauvaise interprétation.

« Ce que je pense, ce que je dis et ce qui est compris est souvent semblable à un raisin vert, à un raisin bleu et à une orange. » Ce que je dis et ce qui est compris est loin d'être toujours la même chose, surtout dans un contexte fortement chargé émotionnellement. La communication se passe entre un émetteur et un récepteur, les deux polarités du processus de partage de l'information, et les obstacles à la transmission juste des données sont nombreux, tantôt à cause de l'émetteur, tantôt à cause du récepteur, ou des deux. Celui qui parle s'exprime-t-il clairement, celui qui écoute est-il vraiment présent, au temps présent, ou déforme-t-il mes paroles à cause de ses blessures émotionnelles ?

L'action juste en ce qui concerne la communication consiste à créer l'ouverture optimale tant du côté de l'émetteur que du récepteur, en se rappelant que parfois, ce qui est facile pour l'un relève du miracle pour l'autre.

Ainsi, l'extraverti très verbal, marié à un introverti plutôt taciturne, ne peut s'attendre à ce que ce dernier verbalise longuement son vécu. Les besoins de verbaliser peuvent varier considérablement d'une personne à l'autre. Mais ces besoins de verbalisation différents se complètent bien lorsqu'une écoute attentive s'offre à ce désir d'expression. Le plaisir de parler et le plaisir d'écouter font bon ménage. Les problèmes émergent quand nous sommes face à quelqu'un qui n'a jamais rien à dire et qui n'est que rarement disponible à écouter. Le couple devient alors un système fermé qui se dégrade progressivement.

L'ouverture optimale se concrétise avec l'habileté à concilier les différences fondamentales de chacun en reconnaissant ses limites personnelles, et en connaissant celles de l'autre, chacun acceptant de travailler à se dépasser dans ses difficultés d'écoute et d'expression.

Même si le couple bénéficie d'une complémentarité entre l'expression et l'écoute, il se heurtera probablement à cette différence qu'ont les hommes et les femmes de régler leurs conflits. La femme est généralement plus centrée sur l'être, tandis que l'homme accorde plus d'importance au faire. Alors que la femme ressent le besoin de s'exprimer avec tout son être émotionnel, le besoin masculin consiste à trouver une solution rationnelle au conflit; il faut faire quelque chose pour améliorer la situation. Résultat : madame ne se sent jamais comprise, monsieur, quant à lui, se sent harcelé et dépassé dans ses capacités d'écoute, craignant que la conversation ne finisse jamais. Il ne s'agit aucunement de mauvaise volonté, chacun vivant simplement dans un univers différent. Le point de vue de l'homme se résume par : « Même si nous en parlions pendant trois jours, il faudra bien faire quelque chose... (pourquoi ne pas le faire tout de suite ?) » La position de la femme peut ressembler à : « Je ne veux pas que tu fasses quelque chose pour moi, je veux juste que tu m'écoutes. »

Reconnaître cette différence de besoins peut faciliter la communication. Madame cesse de se sentir si souvent incomprise parce que monsieur accorde un temps d'écoute empathique, avant d'apporter une solution (concernant le faire)... si nécessaire !

Les couples connaissent aussi parfois le piège du double message contradictoire. « Parle-moi de ce que tu vis, mais ne me dis que ce que je veux entendre. » Le conjoint qui accepte de s'ouvrir et de partager son vécu, mais qui découvre l'existence de sujets tabous, conclut rapidement qu'il vaut mieux se taire : « Si ce que je te dis te dérange, je préfère garder le silence. »

Une relation de couple qui n'offre pas l'occasion aux deux partenaires d'être pleinement authentiques défavorise le processus d'évolution. Vivre constamment dans la peur de déplaire ou d'être rejeté ne permet pas l'établissement d'une intimité réelle. **Pour le couple évolutif, une relation d'intimité qui ne permet pas à chacun d'être lui-même ne vaut pas la peine d'être vécue.** Puis-je m'ouvrir à toi comme si tu étais mon (ma) meilleur(e) ami(e) ? Puis-je m'offrir à toi comme ton (ta) meilleur(e) ami(e) ? Il est peu fréquent que le conjoint soit considéré comme l'ami-confident avec lequel je prends le risque d'être totalement moi-même. L'ouverture optimale est favorisée quand chacun décide de faire de son amoureux, son meilleur ami.

L'attitude juste au plan de la communication peut prendre la forme suivante :

> **Ce que j'ai à te dire mérite ton écoute,**
>     **comme ce que tu as à me dire mérite mon écoute,**
> **et tout ce que nous avons du mal à dire**
> **gagne à se dire.**

Malgré la bonne intention de chacun de s'ouvrir à l'autre, les heurts sont inévitables, d'où l'importance de développer une attitude juste par rapport à la frustration.

## LA FRUSTRATION

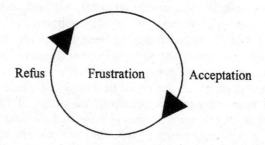

Le couple repose sur la promesse de bonheur, mais il implique une certitude de frustration. Inévitablement, l'évolution de la relation passe par l'acceptation des deux pôles de la frustration : **être frustré et être frustrant.**

Comme le couple est un lieu de répétition des conflits de l'enfance, chaque partenaire sera à nouveau confronté à la frustration. Comme papa-maman jadis, mon conjoint ne répondra pas toujours à mes besoins ou à ma volonté. Les réactions possibles face à la frustration s'étendront entre deux extrêmes : l'attitude de fermeture et de minimisation de ses besoins, ou l'attitude agressive comme moyen d'obtenir satisfaction.

Dans ces deux extrêmes, l'interaction repose sur un mode de relation dominant/dominé et ne fait que reproduire le contexte familial. Par nature, l'enfant refuse la frustration de ses besoins. De même, l'enfant blessé en nous accepte difficilement que le conjoint ne réponde pas à ses attentes.

Le couple devient en quelque sorte une reprise de l'apprentissage du principe de réalité dans l'enfance. Le principe de plaisir doit aussi céder la place au principe de réalité du couple : le plaisir et le déplaisir vont de pair. Sans cette acceptation, la lutte de pouvoir se prolonge indéfiniment.

Certains conjoints considèrent que la frustration n'a pas lieu d'être dans le couple. Leurs réactions consistent alors à se dissocier de la relation. De leur point de vue, s'il y a frustration, c'est qu'il n'y a plus d'amour, alors qu'en réalité, c'est la difficulté d'accepter le fait d'être frustré et frustrant qui dénote une incapacité à aimer.

L'attitude juste au plan de la frustration peut se définir ainsi :

> **Je serai frustré et frustrant, inévitablement. Accordons-nous mutuellement ce droit, sans aucun blâme, en acceptant la responsabilité de notre frustration et en reconnaissant qu'il est impensable que nos besoins correspondent toujours.**

Le sentiment de frustration découle directement de l'insatisfaction d'un besoin. En comprenant mieux la responsabilité face à nos besoins, il devient plus facile de gérer la frustration.

## LES BESOINS

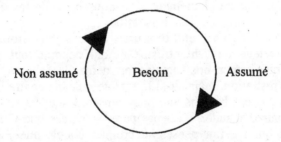

Non assumé        Besoin        Assumé

Nous entrons en couple pour satisfaire nos besoins. Quelle illusion que de croire qu'ils seront comblés par l'autre ! Comme le dit si bien S. Rado :

> « La plupart des besoins de l'adulte sont d'une nature telle qu'une autre personne ne peut jamais les satisfaire. La plupart des besoins ne peuvent être satisfaits que par les propres efforts de l'individu. »

Parfois, j'utilise un exemple pour illustrer comment la satisfaction ne provient jamais de l'extérieur.

Vous avez faim, très faim même. Vous commandez votre pizza préférée et, en moins de trente minutes, elle se retrouve là sur votre table, prête à vous combler... Vous la déshabillez des yeux, la humez, l'eau à la bouche, et vous attendez... Comment peut-elle résister à votre bouche si affamée ? Vous avez besoin d'elle pour vous sustenter, mais elle ne vous sustentera pas d'elle-même. C'est vous qui allez assouvir votre faim, grâce à elle. Si vous attendez qu'elle le fasse, vous risquez de subir un long jeûne, très long même !

Quand on entre en couple, on espère parfois entrer dans la cour aux miracles ; notre « conjoint-pizza » fera tout pour nous, avant même que nous ayons le temps d'ouvrir la bouche ! Nous devenons alors dépendants de son divin pouvoir de nous combler totalement, car, bien sûr, s'il nous aime, il sait exactement ce dont nous avons besoin et il saura apporter ce qui manque à notre bonheur.

Contrairement à l'enfant, nous ne sommes pas entièrement dépendants de l'environnement pour la satisfaction de nos besoins. Nous détenons le pouvoir de paroles, qui nous évite de rester passivement en attente parce que nous pouvons demander clairement ce que nous voulons. Advenant le refus, nous avons, la plupart du temps, la possibilité de satisfaire nos besoins autrement qu'en restant à la merci de la volonté d'autrui.

L'enfant peut difficilement assumer ses besoins. Tantôt, il est dans l'impossibilité de clarifier son besoin, tantôt, il doit attendre l'intervention des adultes. L'adulte a intérêt à attendre surtout de lui-même en sachant qu'il assume pleinement la responsabilité de ses besoins, de leur satisfaction comme de leur frustration.

« Si tu m'aimais vraiment, tu saurais ce dont j'ai besoin » est une croyance qui relève de l'infantilisme et qui conduit tout droit à la frustration. Transformer nos attentes en demandes claires évite non seulement la frustration, mais aussi la secrète rancune contre le conjoint qui ne devine pas ces besoins que nous ignorons souvent nous-mêmes.

« Oui, mais demander, c'est pas pareil », phrase que j'ai entendue si souvent, et qui me fait penser au premier couple que j'ai reçu en consultation. La façon d'aimer de monsieur consistait à être très généreux sur le plan matériel. Évidemment, il travaillait beaucoup et n'était pas souvent à la maison. Cette absence faisait que sa conjointe se sentait négligée, alors qu'elle aurait tant apprécié quelques petites sorties au restaurant, sans les enfants, événements rarissimes bien sûr.

Monsieur a été estomaqué d'apprendre, après plus de quinze ans de mariage, le véritable besoin de sa compagne. Et moi, je suis resté estomaqué quand madame dit approximativement : « Si je te l'avais demandé, ça n'aurait pas été pareil, il fallait que ça vienne de toi et je voulais être certaine que tu en avais le goût. »

Demander, « c'est peut-être pas pareil », mais ça peut être drôlement bon !

L'attitude juste concernant les besoins se résume ainsi :

Je suis libre de tout te demander, en te laissant libre de ta réponse.

Cette attitude implique la maturité d'assumer mon besoin en l'exprimant et la maturité d'accepter le refus éventuel. Puis-je me tendre vers toi pour satisfaire mes besoins, grâce à toi, au lieu d'attendre que tu les devines et me frustres malgré toi ? Puis-je prendre le risque de ma demande, avant de crouler sous le poids de mon manque ?

Demander exige que je dépasse ma peur du refus. Pour accepter un refus éventuel, sans hostilité, je dois considérer l'autre comme ayant droit à ses propres besoins, souvent différents des miens. Puis-je lui accorder sa liberté d'être différent ?

## LA LIBERTÉ

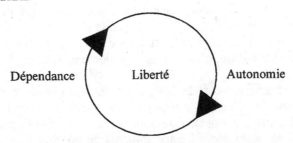

La liberté existe-t-elle ? L'homme violent qui bat sa femme en lui criant : «Tu sais comment je suis, tu n'avais qu'à ne pas me provoquer», est-il libre de son comportement ? La femme qui demeure auprès d'un tel homme pendant de nombreuses années est-elle libre ?

Nous avons vu que nos blessures d'enfance limitent notre liberté de choix. D'abord, liberté limitée face au choix de notre partenaire, sélectionné en fonction de ses possibilités de recréer un scénario familial connu, et liberté limitée face à nos propres comportements, certaines réactions émotionnelles n'étant que des conditionnements de l'enfance. Cet homme violent est peut-être cette victime d'hier, maintes fois brutalisé par son père ou sa mère, comme cette femme n'a peut-être fait que recréer le même contexte de violence familiale qu'elle a toujours connu. Ce couple complémentaire par leur névrose réunit deux êtres codépendants, piégés par leur inconscient qui joue une grande part dans la dynamique conjugale. La liberté, qui repose fondamentalement sur la conscience, est fortement réduite à l'aube du couple. La liberté intérieure est fortement contaminée par des processus inconscients qui freinent nécessairement la liberté accordée à l'autre. La liberté implique le passage de l'inconscience à la conscience qui rend possible des choix différents des réactions émotionnelles associées aux premières expériences de vie.

L'étendue de notre liberté s'accroît dans la mesure où nous devenons capables d'agir de façon cohérente avec notre volonté. Dans le cas du couple, la volonté de vivre l'intimité et l'harmonie, en développant sa capacité d'amour, représente une aspiration partagée par beaucoup de conjoints. Mais agir librement en accord avec cette intention ne va pas de soi.

Dans le couple, ma liberté intérieure s'accroît dans la mesure où je libère l'autre. En lui accordant le droit d'être différent de moi, je me libère de mes propres blessures d'amour inconscientes. Par quel processus ?

Nous avons vu que nous sommes attirés par un partenaire qui dégage certains traits de caractères positifs, semblables aux qualités de papa-maman. Nous nous sentons complets en sa compagnie, parce que sa personnalité dégage fortement ce que notre personnalité n'a que peu développé, ou a même refoulé, à cause d'un contexte familial non facilitant à ce plan. Ce que nous avons peu développé et qui nous manque pour devenir plus équilibré s'exprime souvent avec aisance chez notre partenaire. Il réveille notre attirance parce qu'il nous complète. Vouloir posséder l'autre, c'est, fondamentalement, vouloir se compléter soi-même.

Notre partenaire possède également des traits négatifs semblables à papa-maman. Ces traits négatifs, que nous percevons chez l'autre, sont souvent intériorisés inconsciemment en nous, puis projetés à l'extérieur. C'est ce qui se passe après l'étape romantique du couple. À l'étape de lutte pour le pouvoir, l'autre devient l'ennemi que nous essayons de réprimer dans ses différences. Nous l'aimions au départ parce qu'il nous ressemblait, puis nous le haïssons parce qu'il se montre maintenant différent.

**Or, nous réprimons chez l'autre ce qui a été réprimé en nous, dans notre enfance.** Réprimer l'autre, c'est continuer de se réprimer et de refouler les aspects de notre personnalité qui ont intérêt à s'extérioriser. Je réprime chez l'autre ce que papa-maman m'a interdit dans l'enfance. Accepter l'autre dans ses différences, c'est accepter ce qui a été refoulé en nous et qui peut maintenant s'extérioriser en nous permettant de devenir un être plus équilibré, c'est-à-dire plus complet.

Avant d'aller plus loin dans notre «libération», il convient de résumer certains points essentiels qui nous aideront dans notre projet libérateur.

1. À l'aube du couple, nous percevons rarement notre partenaire tel qu'il est. Nous déformons et interprétons ses attitudes et ses comportements en fonction de nos propres blessures d'enfance.
2. Nous voyons souvent chez lui le bon parent que nous aimons, mais aussi le mauvais parent que nous détestons.
3. En réalité, ce n'est pas l'autre que nous percevons, ce sont les traits inconscients, positifs et négatifs, que nous avons intériorisés de papa-maman.

4. Ce n'est pas l'autre que je vois, c'est moi-même que je vois à travers lui. C'est une zone d'ombre, aveugle à ma conscience, qui se projette sur mon partenaire-miroir.

5. Cette zone d'ombre comprend tout ce que je n'accepte pas en moi, ou encore ce que je n'ai pu actualiser et manifester concrètement, faute d'un contexte parental permissif.

6. Ce qui m'attire chez l'autre correspond souvent à un trait complémentaire au mien (je suis timide, il est fonceur ; il est ordonné et structuré, je suis mal organisé, etc.). Ma tâche consiste à développer ces traits en moi, qui sont déjà là, potentiellement, mais peu actualisés. Non pas posséder l'autre pour me sentir complet, mais apprendre de l'autre comment développer ces traits en moi (il devient ainsi comme un nouveau modèle à intérioriser).

7. Ce qui me déplaît chez l'autre correspond souvent à ce que je porte en moi et refuse. Blâmer, critiquer, réprimer, contrôler l'autre, c'est **me** blâmer, **me** critiquer, **me** réprimer, **me** contrôler, comme jadis mes parents l'ont fait.

8. La guérison de soi passe par la liberté offerte à l'autre, liberté d'être différent de moi.

Comme le disait E. Mounier : « La personne ne se libère qu'en libérant. »

Comprendre que notre partenaire représente le miroir du côté sombre de notre personnalité devient un préalable pour travailler adéquatement à notre guérison.

Si jadis j'ai eu une mère contrôlante, j'aurai tendance à interpréter le besoin d'affirmation de mon conjoint comme du contrôle. C'est alors la lutte pour le contrôle. La blessure intérieure pousse à contrôler l'autre de peur d'être contrôlé. Sans être pleinement conscient, je risque d'être envers mon conjoint aussi contrôlant que maman l'a été envers moi. J'ai ce même trait de contrôleur en moi, refoulé, parce que jadis, je n'ai jamais pu m'affirmer et faire valoir mes idées. J'ai intériorisé ce modèle maternel que j'actualise vingt ans plus tard avec mon conjoint. Je suis inconsciemment contrôlant par peur d'être contrôlé, et j'interprète les attitudes de l'autre comme contrôlantes à mon égard, alors qu'il n'est que miroir de mon ombre.

Bien sûr, l'autre ne représente pas toujours le miroir sur lequel se projette mon ombre. Toutefois, il y a de fortes chances qu'il le soit en présence d'émotions intenses. Pour vérifier, rien de plus instructeur que le jeu du miroir.

# Le jeu du miroir

Le jeu du miroir consiste à faire comme si l'autre n'est que le miroir sur lequel se reflète ma vie intérieure, la face cachée, secrète, souvent inconsciente de moi-même. L'autre ne fait que me révéler ce qui, quelque part, se cache en moi.

En regardant l'autre-miroir, très attentivement, je découvre en moi ce qui se prête à amélioration, non plus sur le corps-apparence, mais sur l'être-essence...

**Comment jouer au jeu du miroir ?**

Se poser une question : **Qu'est-ce que l'autre peut me faire voir en moi par ses attitudes et ses comportements ?**

À ce jeu, les autres ne sont que le reflet d'un aspect de mon intérieur susceptible d'être amélioré. Par « autres », il faut entendre tout ce qui n'est pas moi : **des personnes, mais aussi des événements, des situations, ce qui arrive...**

**Quel est le règlement du jeu ?**

**L'autre n'est que miroir, et même s'il est miroir déformant, il n'est jamais blâmable pour ce que j'y vois. Malgré toute la poussière qui recouvre l'autre-miroir, en cherchant bien, je découvre ma propre poussière intérieure à nettoyer...**

Quelle est la philosophie du jeu ?

Nous sommes **UN**. Le monde extérieur (l'autre) et mon monde intérieur ne sont que deux aspects d'une même réalité. L'extérieur n'est que le reflet de l'intérieur.

\*
\* \*

Ainsi, mon conjoint m'insulte pour une peccadille. Il m'est possible de l'injurier à mon tour. Ou encore, je peux jouer au jeu du miroir...

Cet incident peut-il refléter un aspect plus ou moins reconnu en moi ? Voilà que je découvre de la rancune envers mon patron, rancune que j'ai peine à accepter en moi, et que je n'oserais lui dire, à cause de ma peur ou de ma culpabilité.

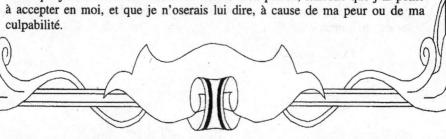

# Le jeu du miroir

Mon conjoint reflète-t-il cette agressivité cachée, parce que mal justifiée (il est inconvenant d'en vouloir à mon patron pour ça). Et comme par hasard, mon conjoint m'a injurié injustement, sans raison valable.

*
* *

Je me suis blessé, en courant dans un escalier, pour prendre le métro.

Qu'est-ce que cet accident peut bien vouloir me faire voir dans ma vie intérieure ?

Je suis maintenant incapable de marcher sans béquilles. Je ne peux me déplacer seul. Comme par hasard, je traverse une période où j'ai l'impression de **tourner en rond**, de **ne pas avancer, de refaire les mêmes erreurs**. De même que, physiquement, je ne peux plus avancer, mes projets **marchent** mal et j'en suis toujours frustré. D'ailleurs, au moment de l'accident, je me sentais agressif. J'ai dû retourner cette agressivité contre moi (pied retourné).

Mes erreurs répétitives concernent le monde matériel, je ne suis jamais satisfait de mes acquisitions. Comme par «hasard», je me suis dépêché parce que le commis tardait à me remettre ma monnaie (monde matériel, domaine de l'avoir).

Cet accident veut-il signifier qu'il ne me sert à rien de continuer à courir dans le monde de l'avoir, puisque je tourne en rond dans ce monde qui me sert de moyen de compensation ? Descendre dans l'escalier de l'avoir pour posséder encore plus, rapidement, ne marchera peut-être jamais.

Mon bien-être serait-il dans une autre direction (domaine de l'être) ?

*
* *

Bien sûr, tout ceci n'est qu'un «jeu»...

Mais il n'y a jamais de perdants.

Chaque fois que mon conjoint manifeste un comportement qui me déplaît, ou qui réveille ma critique, pourquoi ne pas jouer au jeu du miroir ? Pourquoi me dérange-t-il tant ? Se peut-il que je veuille réprimer en lui ce qui est interdit en moi ?

C'est à travers l'acceptation des différences de mon partenaire, si contrariant soit-il, que j'apprends à être de moins en moins distant de lui, et de moins en moins distant de moi-même, en me retrouvant dans la totalité de mon être.

« Je dois accepter les différences de mon partenaire. Soit ! Mais que faire si je suis sobre et qu'il est alcoolique, si je suis fidèle et qu'il court tous les jupons, si je suis douce et qu'il me frappe régulièrement ? Nous sommes très différents, n'est-ce pas ? »

Apprendre à vivre avec les différences de l'autre ne doit pas signifier vivre dans une soumission destructrice ou autodestructrice. Il convient de bien distinguer l'acceptation d'une différence qui améliore l'intimité, d'une différence qui ne génère que la destruction. Lorsqu'on parle de comportement destructeur, il faut comprendre que l'individu qui se conduit ainsi est souvent sous l'emprise de son inconscient, qu'il a donc perdu sa liberté, et notre liberté consiste parfois à dire : « Si tu continues à me détruire, ou à t'autodétruire, je te quitte. » Ma liberté finit là où celle de l'autre commence, et sa liberté finit là où la mienne commence.

L'attitude juste concernant la liberté peut prendre la forme suivante :

---

**C'est en t'accordant le droit d'être différent de moi que je me libère de mes anciennes blessures émotionnelles. En te voyant comme le miroir sur lequel se projette ce qui a été réprimé en moi, je comprends qu'en te réprimant, c'est encore moi que je réprime comme papa-maman jadis. Si je te laisse libre d'être différent, je deviens libre.**

---

La liberté est étroitement reliée au sentiment de sécurité intérieure. Quoi qu'il arrive, j'arriverai à faire face. Mon bien-être devient de moins en moins dépendant des circonstances extérieures, puisque je me fais suffisamment confiance pour assumer n'importe quelle perte.

## LA SÉCURITÉ

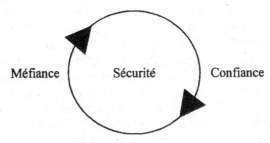

Méfiance            Sécurité            Confiance

Souvent, les zones d'insécurité dans le couple concernent particulièrement la peur : peur du rejet, de l'abandon, peur de perdre l'autre. Nous voyons le lien avec la peur originelle : celle de ne plus être aimé par papa-maman et de se sentir, par conséquent, abandonné et sans valeur. C'est d'ailleurs le sentiment que nous sommes susceptibles d'éprouver après une rupture amoureuse.

Pour que chacun puisse évoluer dans le couple, un contexte sécurisant est nécessaire. L'engagement et l'investissement de chacun doivent être suffisamment forts pour que le couple résiste aux conflits souvent intenses qui surgissent. Si éventuellement le couple doit se dissoudre, il convient que cela se fasse après une décision, et non sous le coup d'une réaction émotionnelle.

Cet engagement à ne pas faire exploser la relation à la moindre impasse représente la sécurité minimale qui facilite l'expression de chaque partenaire. Cet engagement repose sur la confiance mutuelle que chacun ne prendra pas la « décision » unilatérale (souvent réactionnelle) de mettre fin à la relation, sous le coup d'une émotion.

Bien sûr, une certaine stabilité du couple ne règle pas tous les problèmes d'insécurité. Inconsciemment, nous pouvons nous attendre à ce que notre conjoint nous apporte la sécurité qui nous a fait défaut. Mais la sécurité ne provient surtout pas de l'extérieur, elle se conquiert de l'intérieur, et l'autre n'est pas le principal agent responsable de cette transformation.

Faire confiance, c'est *a priori* considérer que l'autre ne nous veut pas de mal, qu'il n'a aucune intention belliqueuse, et ce, sans aucune garantie. Cette confiance est parfois difficile à accorder, surtout quand nous sommes porteurs de blessures d'enfance liées à la trahison (maman a aimé plus mon petit frère) et que notre vie d'adulte nous a plongé dans le même type de blessures. L'autre peut-il me mentir, m'être infidèle, me manipuler ? devient l'inquiétude qui compose le cœur de l'insécurité.

Contrôler l'autre ou tenter de le surveiller peut devenir une stratégie pour tenter de se sécuriser. Mais notre conjoint ne se prête pas constamment à notre surveillance, et il est rare que cette stratégie apaise notre méfiance. Était-il vraiment là où il était supposé être, ou m'a-t-il menti encore une fois ? La méfiance engendre toujours une distance par le doute sans cesse ravivé.

La tentative de se sécuriser par l'extérieur, en contraignant l'autre, aboutit rarement à une satisfaction. C'est en assumant son insécurité, en la reconnaissant et en l'exprimant qu'elle se transforme peu à peu en sécurité. Et le partenaire qui sait entendre cette insécurité, sans se sentir attaqué, contribue grandement au dépassement de cette blessure.

La confiance intérieure se développe, dans la mesure où notre insécurité est reconnue et assumée au lieu d'être escamotée par les accusations portées contre l'autre, et par les tentatives de le contraindre pour qu'il nous sécurise.

L'attitude juste concernant la sécurité peut se formuler ainsi :

> **Je reconnais et assume mes zones d'insécurité, sans te blâmer ni t'accuser, et je cherche plutôt à les exprimer au lieu de te contrôler pour que tu me sécurises.**

## LE CONFLIT

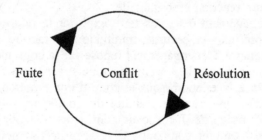

Fuite     Conflit     Résolution

Personne n'aime les conflits. Et, pourtant, les conflits sont au cœur de l'interaction humaine, tout simplement parce que nous sommes différents : différence de besoins, de valeurs, de caractères, etc. Comment concilier ces différences ? L'art de résoudre les conflits exige une saine gestion des différences.

Souvent, les conflits surgissent à partir d'une banalité. Une phrase de trop, un seul mot de trop même, et voilà l'escalade. Les conflits peuvent servir de moyen de distanciation, surtout quand on observe qu'ils surgissent après une période d'harmonie et d'intimité. Le conflit vient alors nous protéger d'une trop grande intimité qui, comme nous l'avons vu, fait peur à cause de la blessure émotionnelle qui y est rattachée.

La perspective d'intimité nous motive au plus haut point, alors que les périodes conflictuelles nous font horreur. Nous sommes prêts à tout pour les éviter, parfois en achetant la paix. Mais la paix extérieure engendre souvent une guerre intérieure qui, tôt ou tard, risque de faire exploser le conflit qu'on cherche tant à éviter. Se motiver à résoudre les conflits n'est pas une petite affaire, à moins d'en avoir une vision juste.

Très souvent, un conflit interpersonnel n'est que l'expression d'un conflit intrapersonnel. Réussir à dépasser le conflit interpersonnel, pour retrouver l'unité avec l'autre, devient une façon privilégiée de retrouver l'unité avec soi-même, en faisant la lumière sur nos blessures intérieures.

**Ce qui nous dérange chez l'autre ne dérange que ce qui est dérangé en soi.** L'autre nous blesse si intensément, parce que nous sommes porteur d'une vieille blessure émotionnelle, souvent inconsciente.

Le couple devient le lieu où sont projetés nos propres conflits inconscients. Il offre donc une occasion de guérison de ces blessures anciennes. Ce qui était inconscient monte à la conscience, afin d'être résolu, à condition toutefois de dépasser l'étape de la lutte pour le pouvoir. À cette phase, en effet, les conflits sont toujours vécus sous le mode de la compétition. Les conflits anciens remontent à la surface, mais la lutte de pouvoir ne fait que recréer le même contexte parental axé sur le jeu de domination. La résolution de conflits peut s'effectuer beaucoup plus efficacement sur le mode de la coopération. Lorsque chacun entrevoit que le conflit résolu conduit à la guérison de ses propres blessures émotives, et que c'est d'abord soi-même qui en sort enrichi, la motivation à s'investir dans ce projet grandit.

L'attitude juste concernant le conflit peut s'exprimer ainsi :

---

**Le conflit que je vis avec toi est le reflet de mon conflit intérieur. En travaillant à trouver une solution, je guéris mes propres blessures et évite ainsi que ce conflit ne se répète indéfiniment.**

---

## L'ENGAGEMENT

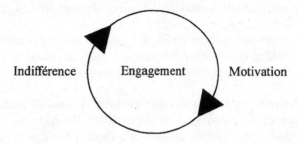

Indifférence            Engagement            Motivation

Par engagement, je ne fais pas référence à un engagement contractuel qui initie la vie de couple. Ce n'est pas parce que deux êtres vivent ensemble depuis quarante ans qu'ils sont véritablement engagés dans un couple évolutif.

L'engagement auquel je fais référence se veut un engagement perpétuel et personnel. Suis-je prêt à m'engager à faire l'effort personnel pour restaurer l'harmonie dans le couple?

S'engager dans un couple évolutif signifie s'engager perpétuellement à agir pour favoriser le dépassement des difficultés rencontrées au lieu d'attendre que ce soit l'autre qui fasse les premiers efforts.

Alors que, dans la codépendance, chacun voit facilement les erreurs de l'autre, l'engagement personnel à favoriser l'évolution conduit à la coresponsabilité, qui invite chacun à s'interroger sur sa complicité, souvent inconsciente, dans l'émergence d'un conflit. Comment ai-je pu contribuer à la situation que je déplore? Non plus voir comment **tu** as pu initier le conflit, mais comment **j'ai** pu être complice de ce que **je te** reproche.

Dans la coresponsabilité, chacun s'engage à être pleinement responsable du conflit et de sa résolution, sans se soucier du «qui a commencé» (club des «sans faute»). Au lieu de chercher à attribuer les torts à l'autre, chacun découvre qu'il est si facile de devenir soi-même complice du conflit. Comment pourrais-je être complice de ce que je reproche à l'autre? Cette question amène souvent à une conscience accrue du rôle actif que l'on joue dans le processus conflictuel. L'autre est parfois le principal générateur du conflit à cause des blessures de son enfance, mais sans complicité de ma part, le scénario conflictuel ne pourrait se jouer. Comme nous l'avons vu, l'enfant blessé du conjoint nous amènera souvent malgré nous à devenir le mauvais parent qu'il a connu jadis, pour revivre la même blessure, dans l'espoir de la guérir. En observant comment je me laisse piéger, j'évite de devenir ce mauvais parent, et j'offre le parent nourricier guérisseur qui dissoudra progressivement le conflit.

L'engagement à la coresponsabilité suppose une motivation suffisante pour prendre l'initiative d'agir afin de restaurer l'harmonie.

L'attitude juste par rapport à l'engagement peut se formuler ainsi :

> **Je suis pleinement responsable d'agir pour maintenir ou rétablir l'harmonie.**

Je m'engage donc à agir pour améliorer la situation, en évitant d'être complice de ce que je reproche à mon conjoint. Je me change, au lieu d'attendre que l'autre change, et découvre ainsi mon véritable pouvoir de transformation.

## LE POUVOIR

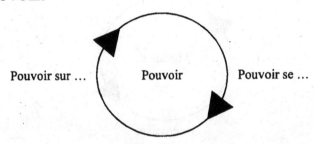

Pouvoir sur ...          Pouvoir          Pouvoir se ...

La lutte de pouvoir existe uniquement parce que nous croyons que ce pouvoir est susceptible d'être exercé sur l'autre afin qu'il devienne conforme à nos attentes. Les tentatives d'exercer son pouvoir sur l'autre conduisent généralement au sentiment d'impuissance et à la rancune, car l'autre sera souvent réfractaire à tout changement imposé.

**Pouvoir se** transformer s'avère la voie la plus riche en satisfaction. Le seul véritable pouvoir que je possède consiste à me transformer en agissant de façon juste pour la satisfaction de mes besoins, et dans le respect de ceux des autres. Étrangement, c'est la voie qui engendre le plus souvent une transformation chez autrui. Alors qu'essayer de changer l'autre se résume souvent à un vain effort, la transformation de soi, rendue possible par l'exercice de ce pouvoir sur soi, se transmet à l'autre. Le pouvoir de se transformer se communique à l'autre et le motive à se transformer.

Dans le couple, l'évolution de l'un concourt à l'évolution de l'autre. C'est en travaillant sur soi que ce même travail intérieur est facilité chez l'autre.

L'attitude juste concernant l'exercice du pouvoir se résume ainsi :

> **J'ai la volonté de me changer moi-même au lieu de te contraindre à changer. Je change mon intérieur (moi) avant d'espérer que l'extérieur (toi) change.**

L'erreur la plus fréquente consiste à vouloir changer l'extérieur sans se transformer d'abord. L'art de la transformation demande la vigilance.

## LA VIGILANCE

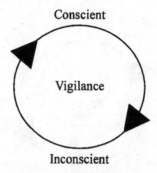

Conscient

Vigilance

Inconscient

Être emporté par l'inconscient ou se laisser porter par la conscience ; seulement la vigilance pour passer de l'un à l'autre.

La vigilance permet de passer de la théorie à la pratique. C'est la capacité de déterminer laquelle ou lesquelles des sphères du couple évolutif sont négligées, et la volonté de mettre en œuvre les attitudes et les comportements qui viendront à bout des obstacles entravant l'intimité et l'harmonie.

Dans une impasse, chaque partenaire a intérêt à identifier ce qui, selon lui, entrave le rétablissement de l'harmonie. Le couple qui rencontre une impasse est semblable à un avion ayant besoin d'être inspecté et vérifié avant le décollage. Le pilote et le copilote vérifient chaque élément inscrit sur la liste de contrôle. C'est ainsi qu'une panne peut être prévenue ou réparée.

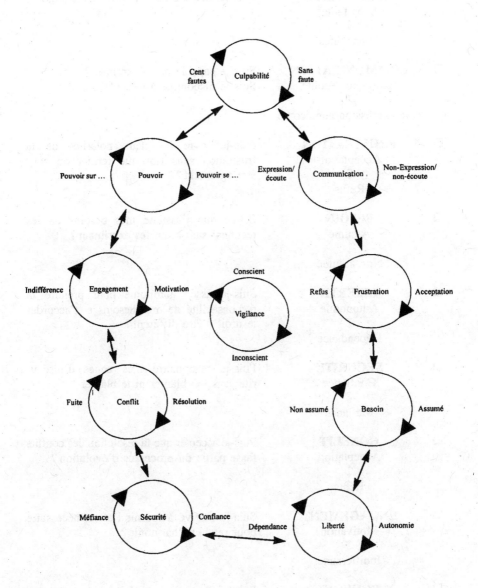

En cas d'impasse ou de conflit, chaque conjoint peut faire cet exercice de vigilance en notant les sphères qui nécessitent un changement d'attitude.

❑     **CULPABILITÉ**     Suis-je membre du club des « sans faute » ?
    Sans faute
    ↕
    Cent fautes

❑     **COMMUNICATION**     Suis-je capable de m'exprimer ?
    Expression/écoute     Suis-je disponible à t'écouter ?
    ↕
    Non-expression/non-écoute

❑     **FRUSTRATION**     Puis-je vivre les deux polarités de la
    Acceptation     frustration sans trop me fermer ou sans
    ↕     être agressant ?
    Refus

❑     **BESOIN**     Est-ce que j'assume mes besoins en les
    Assumé     reconnaissant et en les exprimant ?
    ↕
    Non assumé

❑     **LIBERTÉ**     Suis-je assez autonome pour prendre la
    Autonomie     responsabilité de mes besoins et t'accorder
    ↕     le droit d'être différent ?
    Dépendance

❑     **SÉCURITÉ**     Puis-je reconnaître mes zones d'insécu-
    Confiance     rité sans me blâmer ni te blâmer ?
    ↕
    Méfiance

❑     **CONFLIT**     Puis-je accepter que la résolution des conflits
    Acceptation     fasse partie du processus d'évolution ?
    ↕
    Refus

❑     **ENGAGEMENT**     Suis-je motivé à fournir l'effort nécessaire
    Motivation     pour rétablir l'harmonie ?
    ↕
    Indifférence

❑     **POUVOIR**     Puis-je renoncer à vouloir te changer pour
    Pouvoir se     que tu sois conforme à mes attentes ?
    ↕
    Pouvoir sur

## La direction juste : le savoir-être

Franchir les étapes du couple, c'est d'abord traverser la période romantique, là où l'amour est aveugle, inconscient, pulsionnel ; là où le choix est inexistant, puisque ce sont deux inconsciences qui n'aspirent qu'à assouvir leur manque d'amour en guérissant les anciennes blessures d'enfance. Toujours trop brève étape romantique qui coïncide avec la production d'hormones et de substances chimiques qui nous font percevoir la vie en rose, augmentent le niveau d'énergie ainsi que le sentiment de bien-être et de sécurité. L'état amoureux nous drogue, mais le cerveau s'accoutume à cette drogue d'amour et exige une dose encore plus forte pour jouir de la même euphorie. L'autre ne réussit plus cependant à faire circuler à plus haute dose les dopamines, norépinéphrines et endorphines du bonheur. L'étape aveugle de l'amour meurt pour que naisse une phase plus lucide qui risque aussi d'être moins euphorique. Le cerveau traversera cette période de sevrage et, de rose, la vie se transformera en noir et blanc à l'étape de la lutte de pouvoir.

Certains ne franchissent pas cette première étape du couple. La peur de cette intensité passionnelle les fait reculer et ils n'osent pas s'aventurer sur un terrain où la perte de contrôle pourrait être source de souffrances. D'autres ne recherchent que cette étape romantique qu'ils confondent avec l'amour. Pour eux, l'amour n'existe plus quand la drogue d'amour est épuisée. Il faut alors chercher l'amour ailleurs, en vain, évidemment.

Ceux qui dépassent ce premier obstacle entrent inévitablement dans la phase de lutte de pouvoir. Si la période de lune de miel ne nous fait percevoir l'autre que dans son seul aspect idéalisé, il ne faut pas oublier que le miel attire aussi les « bibittes » qui nous le feront voir dans ses aspects les plus méprisés. C'est la déception, la frustration, et la lutte s'engage pour que l'autre reste conforme à l'image idéalisée du début. Mais l'autre n'est ni ce que nous avons perçu au début ni ce monstre qui nous mortifie dans cette effroyable guerre de pouvoir. Les « bibittes » du passé sont à l'œuvre et déforment constamment la perception que nous avons de notre partenaire. La promesse de bonheur est trahie, puisque les blessures émotionnelles du passé refont surface une à une, et chacun combat pour obtenir ce qu'il n'a même pas reçu de papa-maman jadis. C'est la guérilla conjugale qui, soit s'éternise, soit devient guérison conjugale lorsque chacun réalise que le couple ne peut être un lieu de compétition.

La phase de guérison du couple, qui commence à l'étape romantique pour se poursuivre durant la lutte de pouvoir, pourra se transformer en phase d'évolution, lorsque chacun réalisera que le lieu du couple n'est pas celui de la prise de pouvoir sur l'autre (changer l'autre), mais le lieu de la prise de pouvoir sur soi-même (se changer). Ainsi, le passé contaminera de moins en moins le présent et le partenaire cessera d'être perçu à travers le fantôme de papa-maman. Voilà l'essence de la guérison : cesser de voir le présent avec les yeux du passé, ce qui permet d'aborder les conflits sur un mode de coopération.

S'amorce alors une étape de plus grande stabilité, où chacun apprend de mieux en mieux à vivre avec les différences de l'autre, en s'engageant volontairement à fournir l'effort nécessaire à l'harmonisation des situations conflictuelles. C'est l'étape du choix conscient, en toute lucidité, le choix d'aimer avec la volonté, comme le disait Scott Peck dans *Le chemin le moins fréquenté*, de favoriser son évolution personnelle et celle de son partenaire. Aimer signifie aider, aider signifie aimer. Le couple réunit deux êtres aptes à évoluer ensemble. La dimension spirituelle du couple peut s'incarner de plus en plus dans le sanctuaire du couple.

Chacun apprend à devenir de plus en plus complet en lui-même, plus unifié, mieux intégré. Chaque partenaire s'unit à son homme intérieur, à sa femme intérieure, l'union de l'*animus* et de l'*anima* créant l'unité en soi. C'est ainsi que les besoins d'actualisation du couple s'inscrivent dans une dimension transpersonnelle de cocréation, chacun s'engageant dans un projet qui dépasse sa petite personne, pour le bien de tous. Le petit moi personnel est maintenant naturellement tourné vers les autres.

Mais le travail est ardu avant d'en arriver à cette maturité. Comme le dit Alexander Ruperti : « La rencontre avec l'amour peut être une chute ou une transfiguration ; elle peut nous rendre esclave de quelqu'un ou conduire à une union focalisée avec le Tout au-dedans ou à travers le (la) bien-aimé(e). » Mieux nous serons outillés, mieux nous éviterons la chute et goûterons à la transfiguration. Nous devrons dépasser nos peurs, la peur d'être notamment ; apprendre à vivre avec son sens des valeurs, communiquer avec authenticité, puisque l'intimité du couple ne peut se créer qu'à partir de l'authenticité de chacun. Nous devrons perdre nos illusions sur l'amour pour découvrir sa réelle dimension à travers une conscience qui grandit sans cesse.

Dans ce long processus de guérison-évolution surviendront ce que j'appelle des points de rupture. Un événement précipitant réactive une profonde blessure d'enfance qui plonge le couple dans une situation de crise. La souffrance ressentie peut alors faire éclater le couple. C'est à ce moment qu'il faudra bien distinguer une réaction émotionnelle d'une décision. Les émotions sont mauvaises conseillères et poussent facilement à la fuite pour nous éviter d'explorer les zones d'ombre que nous refusons. C'est un processus qui se rencontre en thérapie ; la résistance à toucher les zones sensibles nous pousse à abandonner l'engagement thérapeutique. La vie du couple aussi est une thérapie ; une thérapie de l'ego, où l'ego est le problème qui doit être dépassé, grâce à un grand savoir-faire.

Ce savoir-faire doit nous conduire vers un savoir-être : savoir-être-intime, savoir-être-un-avec-l'autre. Tous les outils relationnels que nous nous sommes donnés convergent vers l'unité avec l'autre. Pour y arriver, l'ego doit subir une transformation en renonçant à ce que j'appelle ses trois «O» : égoïsme, égocentrisme, orgueil.

L'ego a horreur du vide. Il cherche donc à se remplir, à acquérir, à posséder, et craint évidemment qu'on le dépossède de ce qui lui semble ses acquis. L'ego se veut égoïste par nature et cherche à tout ramener vers lui.

Bien sûr, l'ego évolue. L'enfant est exclusivement centré sur le «moi-moi». Le recevoir est au cœur de son existence. Puis l'ego mûrit, c'est l'étape du «moi-toi», moi d'abord, toi ensuite. Il s'agit d'un progrès, puisque à l'origine l'autre n'existe qu'en tant que pourvoyeur. L'ego adulte devient apte à se centrer sur l'autre. Le «toi-moi» devient possible. L'ego passe de l'égocentrisme à l'«allocentrisme». C'est le passage du «tu es là pour moi» au «je suis là pour toi». Enfin, dans le stade de l'ego transcendé n'existe plus que le «toi-toi», puisque «je suis toi et que tu es moi». C'est évidemment le stade de l'amour mystique où l'amour de soi et l'amour de l'autre s'inscrivent dans le même Amour.

L'ego devra d'abord guérir ses blessures d'enfance dans l'étape de lutte de pouvoir, en prenant conscience qu'il n'est plus seul à revendiquer la satisfaction de ses besoins. L'autre aussi réclame et ce n'est qu'en transformant une attitude de compétition (qui a raison, qui va gagner ?) en attitude de coopération (que pouvons-nous faire ensemble ?) que la lutte de pouvoir peut s'estomper.

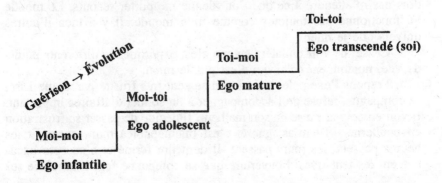

Le couple comme lieu d'évolution conduit de l'égoïsme à l'altruisme, de l'égocentrisme à l'allocentrisme, passage du besoin de recevoir à celui de donner, principalement don de son être et de sa présence à l'autre.

Avec la maturation, l'amour-guérisseur prend de plus en plus d'ampleur et la capacité de se centrer sur les besoins de l'autre grandit. Le «toi-moi» s'installe et initie ce que j'appelle la phase d'évolution du couple.

Cette phase d'évolution coïncide avec le passage de l'égocentrisme à l'allocentrisme. Non plus seulement «J'ai des besoins et tu dois les satisfaire si tu m'aimes», mais aussi «Tu as des besoins et je dois t'aider à les satisfaire si je t'aime».

Si l'ego a horreur du vide et cherche à se remplir par égoïsme, il a aussi horreur de la différence. Tout ce qui n'est pas comme lui, ne pense pas comme lui, n'agit pas comme lui, le dérange.

L'égocentrique se prend pour le centre du monde. L'enfant se caractérise par son égocentrisme, par son grand besoin d'être le centre d'intérêt pour ses parents, et malgré la maturité qui s'installe progressivement, le passage de l'égocentrisme à l'allocentrisme ne va pas de soi, pas plus d'ailleurs qu'il n'a été facile de passer du géocentrisme (Terre : centre de l'Univers) à l'héliocentrisme (Soleil : centre de l'Univers). Copernic et Galilée en savent quelque chose. À l'époque, déroger à la croyance que la terre régnait au centre de l'Univers se faisait aux risques et périls des contestataires. Le géocentrisme représente l'égocentrisme humain dans la dimension historique et à l'échelle planétaire.

Sortir de son égocentrisme, c'est sortir de son monde pour voir le monde. C'est cesser de voir de façon unilatérale et croire que tous voient ce que je vois.

Si je suis une personne qui s'empresse d'aider mon semblable avant même qu'il en fasse la demande et que je pense que tout le monde agit comme moi, mon égocentrisme me condamnera à la révolte quand, dans le besoin, je constaterai que personne n'est disponible pour moi. Oui, les autres sont différents et ne voient pas et ne ressentent pas les choses à ma façon. Certains sont comme moi, d'autres non, et je ne dois pas m'attendre à ce que l'on vienne me porter secours. Le monde ne fonctionne pas toujours comme mon monde. Il y a bien d'autres univers que le mien.

Cesser de voir unilatéralement, c'est expérimenter différents points de vue, notamment celui qui n'est pas le mien.

Prenons l'exemple de Jean qui se sent très frustré parce que Lise, sa compagne, refuse de l'accompagner à un souper d'affaires important. Il voit en cela la cause de son malheur. Il décide de passer sa frustration en bouderie. «Tu m'as ignoré, c'est maintenant à mon tour.» Et les heures passent, les jours passent. Il demeure fermé et n'accepte aucunement les tentatives d'ouverture que sa compagne fait. Il amplifie ses blessures et commence à l'accuser intérieurement de jeter de l'huile sur le feu, parce qu'elle s'isole elle aussi. Pauvre de petit Jean, qui se sent de plus en plus rejeté, de plus en plus abandonné. Et pourtant, il suffit d'une seule seconde pour qu'il bascule dans la clarté. «Mais elle, qu'est-ce que je suis en train de lui faire vivre?» Et voilà qu'il quitte son monde de souffrances pour voir le monde de l'autre. «Elle, que vit-elle?» Et il perçoit alors facilement qu'elle doit souffrir de son attitude, qu'elle se sent probablement rejetée et se protège en s'isolant. Il réalise qu'elle ne mérite pas cette bouderie qu'il lui impose. Et, d'un seul coup, sa blessure s'efface parce que sa conscience s'élève, il voit l'autre point de vue et il comprend. Il n'y a plus matière à conflit. En se centrant sur Lise, il s'est guéri lui-même et il devient même aidant pour elle.

Le renversement de l'égocentrisme à l'allocentrisme devient un moment de guérison. Parce que la conscience s'élève pour voir ailleurs, plus loin, l'amour peut suivre alors son cours à nouveau, effaçant du même coup la frustration. Nous accordons à l'autre le droit d'être différent, de voir différemment. Nous pouvons être distincts sans être distants.

L'empathie nous permet de transformer notre égocentrisme. Je me mets à la place de l'autre et je vois, je ressens, je pense ce qu'il voit, ressent, pense, en acceptant son point de vue comme aussi valable que le mien.

L'égocentrisme conduit parfois à ce que j'appelle l'«hyperempathie», une attitude aussi néfaste que l'absence d'empathie.

Alors que dans l'absence d'empathie, considérer un autre point de vue ne me vient même pas à l'esprit, dans l'hyperempathie, ce que l'autre vit est pris en considération, mais me dérange puisque je me sens responsable de son vécu. Dans l'hyperempathie, mon égocentrisme m'amène à me sentir coupable du malheur des autres. Si je perçois que l'autre est triste, mon premier réflexe consiste à me demander qu'est-ce que j'ai bien pu faire pour causer sa tristesse.

L'ego souffre parfois de mégalomanie en croyant qu'il détient le pouvoir de rendre tout le monde heureux. Il se sent responsable des besoins des autres et leurs frustrations deviennent une atteinte à son omnipotence illusoire. «Non, je ne possède pas le pouvoir de rendre toujours l'autre heureux et pour toujours.» Seul l'autre détient ce pouvoir sur lui-même.

L'ego qui corrige son égocentrisme cesse de voir les frustrations des autres comme le concernant et comme une critique continuelle. Le malheur des autres, en devenant une atteinte à son estime de lui-même, l'empêche d'offrir une empathie demandant à la fois une distance et une proximité. «Je te comprends et je compatis à ta douleur, mais ce n'est pas de ma faute si tu souffres.» Il devient donc possible d'accompagner l'autre dans sa souffrance sans culpabilité. L'hyperempathie enlève le détachement nécessaire à un support réel. L'hyperempathie conduira soit à la répression de ce que l'autre vit (« Tu n'as pas raison de sentir ce que tu sens »), soit à la dédramatisation (« Ce n'est pas grave »), dans le but de se protéger de son sentiment d'impuissance face à la douleur de l'autre.

L'ego, malgré les apparences qu'il veut donner, s'avère souvent sensible, fragile et inquiet, d'où les mécanismes de protection qu'il prend pour cacher son moi privé, terrifié à l'idée de ne pas être aimé. Il recourt à l'orgueil pour ne laisser transparaître que le beau.

L'ego n'a pas seulement horreur du vide et de la différence, il a aussi en horreur d'être inadéquat. Ainsi, il doit toujours bien paraître, ne jamais perdre la face en évitant soigneusement de se placer en position de vulnérabilité.

L'orgueil a pour fonction de protéger la sensibilité de l'ego. L'orgueil crée une cuirasse de protection autour de lui, mais lui enlève, en même temps, toute souplesse. Sans cette souplesse, il lui est difficile de se déplacer d'un point de vue à un autre, donc de sortir de son égocentrisme. Parler de l'orgueil nous ramène aux concepts de façade et de moi public que nous avons déjà abordés dans le chapitre sur la communication authentique. Et, nous l'avons vu, l'amour ne passe qu'à travers l'ouverture, il n'y a donc pas véritablement de place pour l'orgueil dans une relation d'intimité.

L'ego adulte, qui dépasse son orgueil, cesse d'attendre que les choses s'arrangent d'elles-mêmes ou que l'autre prenne l'initiative de la réconciliation. Il prend la responsabilité d'agir pour rétablir l'harmonie, malgré l'extrême vulnérabilité qu'il peut éprouver. L'ego adulte abaisse volontairement ses boucliers de protection et accepte de vivre de façon authentique.

*
* *

Toutes les impasses du couple sont reliées aux trois attributs de l'ego et le savoir-faire relationnel ne visait qu'un but : dépasser l'égoïsme (pas uniquement mon seul besoin), l'égocentrisme (pas uniquement mon seul point de vue) et l'orgueil (pas uniquement ma belle image). Pourquoi l'ego doit-il accepter de mourir à ses trois attributs, lui qui a si horreur du vide, de la différence et d'être inadéquat ? S'il ne le fait pas, il se condamne à la lutte de pouvoir jusqu'à la fin de ses jours.

Vouloir obtenir ce que je n'ai pas reçu jadis, vouloir contrôler ce qui m'a été imposé jadis, ne marchera jamais. Le lieu du couple, c'est le lieu où l'ego renonce, non pas en se sacrifiant pour l'autre, mais bien en se consacrant à l'autre (enfants, conjoint). Telle est l'exigence du couple et l'ego infantile (moi-moi) ne trouvera plus jamais satisfaction dans le couple. La vie lui demande de devenir adulte en élevant son niveau de conscience ; prendre conscience que l'autre existe, réclame et demande une réponse. Le couple nous demande de devenir présent à l'autre, de devenir un-avec-lui, « une seule chair » avons-nous dit au début de ce chapitre.

De la chambre nuptiale à la chambre mortuaire, le lieu du couple évolutif nous conduit doucement, afin que l'ego puisse mourir à lui-même pour devenir une seule chair avec le Soi. L'ego meurt peu à peu à son égoïsme, à son égocentrisme et à son orgueil. Sans ces trois attributs, l'ego se transforme pour se fondre dans le Soi. De moins en moins égoïste, de moins en moins égocentrique et de moins en moins orgueilleux. Et voilà que l'ego se dépouille, se dévoile, devient transparence dans sa communion avec le Soi. Le soleil de la conscience est enfin à son apogée. Le visage de la réalité prend toute sa splendeur. L'union, l'ultime union est réalisée. Et l'autre a été ce précieux chemin qui a rendu possible cette union en soi-même. L'humain et le divin ne font plus qu'un en soi. Deux humains, d'abord attirés par leurs ressemblances, ne faisant qu'une seule chair dans l'espace romantique, puis déchirés par leurs différences, pour enfin devenir une seule chair de lumière, dans l'unité du Soi.

Le couple-ascèse conduit théoriquement à l'expérience du Soi, l'expérience de l'unité par excellence. Mais l'expérience de cette unité, c'est d'abord être de moins en moins centré sur son petit monde et de plus en plus centré sur l'autre (le toi-toi) et, à la limite, une seule chair avec l'autre (toi-toi) en devenant... personne.

Comme le disent les sages, après avoir été une personne (ego), il est temps d'aspirer à n'être plus personne (Soi). Le « moi-moi » perd de son importance ; le « toi-toi » l'emporte de plus en plus. « Peu importe ce que tu penses de moi, ce n'est qu'une opinion. Peu m'importe d'avoir raison, ce n'est qu'un point de vue. Seule m'importe de rester présent à toi, d'être un avec toi. »

De moins en moins important et pourtant de plus en plus heureux. L'ego se dissout dans la Vie, la Vie coule à travers lui. L'Amour circule. C'est de moins en moins moi (ego) qui aime et de plus en plus le « ça aime » en moi (Soi) qui aime d'un amour guérisseur. Un amour offrant une présence à l'autre qui se veut une réponse parfaite à ce qui est demandé par la situation, sans aucun effort, comme si le « je » n'était plus que le représentant du Soi qui donne avec aisance ce que l'ego se veut incapable de donner. La volonté du Soi et celle de l'ego coïncident. Le « je » n'est plus personne.

Il est difficile de s'imaginer ce que signifie l'expérience du Soi sans l'avoir vécu. Disons simplement que l'ego ne cherche plus à recevoir, à posséder, à gagner, puisqu'il est en contact avec sa richesse intérieure, une richesse qui ne s'épuise jamais parce qu'elle se répand sans cesse. Être une personne n'est plus important puisque n'être plus personne est tellement plus remplissant.

Dans ce passage d'être une personne à n'être plus personne, l'ego, d'abord renfermé sur lui-même, s'ouvre, et s'ouvre encore au point où ses trois «O» s'ouvrent en découvrant le Soi qui, de tout temps, faisait corps avec lui.

Le Soi était caché dans l'ego, comme le laissait entendre la légende, les dieux ayant décidé jadis de cacher la divinité de l'homme dans ses profondeurs. Et l'ego ayant compris que toute recherche extérieure s'avérait vaine, ayant renoncé à acquérir et à posséder pour lui-même, cessa de se crisper et s'ouvrit, en transformant le mouvement centripète (ramener vers son centre) en un mouvement centrifuge (pousser hors de son centre). Le besoin de recevoir devint besoin de donner.

Ce n'est sans doute pas par hasard que la littérature spirituelle nous livre des centaines de messages semblables à ceux que nous communique un Shantideva :

> «L'origine de toute joie en ce monde est la quête du bonheur d'autrui ;
> l'origine de toute souffrance en ce monde est la quête de mon propre
> bonheur.»

De même, le maître tibétain Sogyal Rimpoche enseigne que : «La chose la plus noble et la plus sage est de chérir les autres plutôt que soi. Cela amènera la guérison à notre cœur, à notre mental et à notre esprit.» De même, un thérapeute conjugal, Harvile Hendrix, écrira dans un même sens que notre propre guérison intérieure est facilitée lorsque nous canalisons notre énergie vers la guérison affective de notre conjoint. «C'est lorsque vous dirigez votre énergie loin de vous et vers l'autre que votre guérison spirituelle et psychologique opérera en profondeur[31].»

Je me guéris en guérissant l'autre. Je me remplis en me donnant à l'autre. Peut-être parce que cet autre est vraisemblablement moi-même ?

Pauvre petit ego qui s'attendait à recevoir ce qu'il n'avait pas reçu de papa-maman et à qui on demande de donner la présence qu'il n'a même pas reçue. S'il avait su !

L'autre ! Qu'a-t-il besoin, lui, de recevoir ? Et voilà que la guérison s'opère. Je deviens présent à l'autre, et ma souffrance n'a plus d'importance puisqu'en étant centré sur le don plutôt que sur le recevoir, elle s'efface d'elle-même. J'assume mon véritable pouvoir d'être là pour

---

31. *Le défi du couple*, Éditions Modus Vivendi, 1994. Un excellent ouvrage à consulter.

l'autre, au lieu de subir, impuissant, l'attente interminable de sa présence pour moi.

L'adulte se nourrit surtout par le don, le don même de ce qu'il n'a pas reçu suffisamment, puisqu'il puise maintenant au fond de lui-même sa richesse, la richesse de sa conscience qui voit non seulement son petit univers, mais toute la réalité du monde qui l'entoure. L'ego a fait suffisamment le tour de lui-même pour avoir le goût d'aller vers l'autre. De souffrance en souffrance, la conscience s'affine, s'aiguise, en guérissant les plaies du passé.

Et la Conscience passe en nous, en nous faisant passer de la passion à la compassion. La passion du corps cède la place à la compassion du cœur qui nous fait tendre vers l'autre pour découvrir notre unité.

### TENDRE...

Main qui effleure un visage,
sourire serein rayonnant
qui fait contagion.
Douceur de la peau
qui s'offre en cadeau.
Étreintes chaleureuses,
silencieuses,
disant mille mots...

### QUI DONC ES-TU ?

Gestes qui éveillent les sens,
mais qui se suffisent à eux-mêmes,
sans attendre,
plénitude en soi.

### MAIS QUI DONC ES-TU ?

Yeux de lumière,
portes de l'âme qui s'ouvrent
sur l'infini...

### MAIS QUI DONC ES-TU ?

pour être à la fois douceur et puissance
subtilité et profondeur,
jeu et sagesse ?

### « QUI SUIS-JE ? »

Quand tu me donnes vie
par tes paroles, ton regard, tes gestes,
je suis le signe de ton unité avec ton semblable.
Regarde,
regarde bien dans ses yeux,
que vois-tu ?

C'est toi-même que tu découvres
dans les yeux de ton semblable,
PARCE QUE VOUS ÊTES UN.

Je suis mouvement qui te tend vers...
Je suis mouvement qui UNI-VERS...
Je suis ce qui te tend vers l'ÊTRE-EN-SOI.
Je suis
T...E...N...D...R...E...S...S...E...

Tendre vers l'autre, et entrer en lui pour faire un avec le Soi en lui comme en soi. Finalité ultime du couple évolutif. Oui, mais comment y arriver ? Simplement en étant de moins en moins égoïste, de moins en moins égocentrique, de moins en moins orgueilleux. Pour y arriver, je vous propose un petit jeu. Le jeu du bateau-couple.

Vous êtes deux dans une chaloupe en mer avec deux rames comme seul moteur. Vous êtes à douze heures de la côte la plus proche qui se trouve au nord. Votre tâche consiste à regagner la rive dans les douze heures en ramant conjointement ou l'un après l'autre, mais continuellement pour réussir dans le délai prévu. Un million de dollars vous attend si vous réussissez.

Pourra-t-on nous mettre d'accord sur la direction et tenir le cap sur le nord ? Puis, il faudra ajuster nos forces ; si en ramant conjointement, l'un rame trop fort par rapport à l'autre, nous tournerons en rond. Parfois, nous nous remplacerons pour ramer, mais nous avons besoin de nos deux forces pour regagner la rive. Nous allons dans la même direction, en même temps, ou nous n'allons nulle part.

**« Si je coule, tu coules,**
**si tu coules, je coule ;**
**mon sort est le tien,**
**ton sort est le mien**
**puisque nous sommes un**
**dans le même bateau-couple. »**

Une seule phrase pour résumer tout ce chapitre. Une seule phrase comme point de vigilance dans cette traversée du couple, une seule phrase pour mettre fin à toute compétition entravant l'unité : « Si tu coules, je coule, si je coule, tu coules ; nous arrivons ensemble ou nous n'allons nulle part. »

Une phrase qui vaut son pesant d'or lorsque nous sommes en conflit.

## GRANDIR... EN AMOUR

L'amour, c'est d'abord l'« amour-nourriture », le besoin d'avoir/recevoir l'amour, le besoin d'être aimé. Bien vite, le « comment me faire aimer » devient vital. Enfant, j'achète l'amour par mon obéissance et mes performances, et adulte, je poursuis cette même quête par mon bien paraître. Ma quête d'amour passe aussi par l'impression d'aimer, mais sans le reconnaître, mon « je t'aime » signifie « j'ai besoin de toi pour que tu me complètes, aime-moi pour cacher ma solitude qui me rend distinct et distant de toi ». Je fais l'expérience de l'amour conditionnel : « Je t'aime à la condition que tu répondes à mes besoins et à mes attentes, même les plus secrets. » Je t'aime à la condition que tu sois nourricier pour moi. Mes « je t'aime » se mêlent aux « je te hais » en fonction des satisfactions ou des privations que j'éprouve. C'est l'amour-consommation-compensation d'un enfant intérieur qui cherche avidement l'amour-nourriture qui ne se trouve jamais à satiété et puis, l'enfant intérieur grandit, comprend, accepte. Au sein du couple, mon semblable est né. Je ne suis plus seul à vouloir recevoir. La vie me demande de donner.

Le « comment me faire aimer » cède le pas au « comment aimer ». C'est l'appel de l'amour inconditionnel. Mon « je t'aime » t'accorde alors le DROIT d'ÊTRE ce que tu ES dans ta TOTALITÉ. Je te libère de ton obligation de bien paraître pour me plaire en me libérant de mes attentes à ton égard ; je suis libre de tout te demander en te laissant libre de ta réponse. Et je réalise la portée mortelle de mon geste libérateur. L'ego doit se consumer dans les flammes de l'amour inconditionnel comme l'ego public a dû périr sous le glaive de l'authenticité afin que la réalité du Soi se découvre et fasse son œuvre...

Au commencement, l'amour est une émotion que je recherche ; plus loin, il devient Chemin que je parcours ; à la fin, il devient TOUT...

«Éveille-toi ! Éveille-toi ! Ô dormeur du pays des
ombres... Je suis en toi, tu es en moi, en mutuel
amour... De l'amour les fibres lient chaque homme
à l'autre... Regarde ! Nous sommes Un. »

William Blake

# Derniers propos

*« Le Soi, c'est ce qui reste quand l'ego est passé de l'ombre à la lumière. »*

Voilà que nous arrivons au terme de notre voyage vers une vie plus consciente. Jusqu'à maintenant, nous avons parlé des attitudes qui favorisent l'évolution de la conscience, mais existe-t-il une méthode, une technique qui prépare la Grande Mort de l'ego ? Existe-t-il une pratique spirituelle qui ouvre les portes de la conscience ? Dois-je faire du yoga ? Dois-je prier ? Dois-je méditer ?

Quelle que soit la pratique spirituelle à laquelle nous nous appliquons, elle repose toujours sur la vigilance ; vigilance dans l'ici-maintenant. Cette vigilance s'applique, bien sûr, à la méditation, mais il faut bien distinguer l'aspect technique de la méditation de son aspect essentiel. Il existe des centaines de techniques de méditation pour exercer la vigilance, mais un seul état de méditation.

Méditer, c'est techniquement répéter mentalement un mot choisi (mantra) et demeurer centré sur ce mot en laissant passer les pensées parasites qui perturbent notre concentration. L'objet de concentration pourrait être aussi bien notre respiration ou une image. Par exemple, étendu sur une plage, vous êtes concentré sur la couleur bleue du ciel, soudain, un oiseau traverse votre champ de vision. Nécessairement, vous le percevez. Méditer sur la couleur bleue du ciel, c'est percevoir le vol de l'oiseau sans le suivre de yeux ; il passera... Il ne s'agit pas de fermer les yeux pour éviter de voir l'oiseau, pas plus qu'il ne s'agit d'observer son vol en le suivant du regard.

La méditation est un entraînement à la **vigilance**. Et c'est là qu'on découvre le sens spirituel de la méditation. La vigilance qu'on développe dans l'exercice de concentration doit se transposer dans la vie quotidienne. Je deviens vigilant, je me vois fonctionner, je deviens conscient de ma façon d'être et de faire.

Méditer devient un savoir-être dans la vie quotidienne. Chaque instant, mon mantra, c'est moi, mon ego, mes sentiments, mes émotions, mes pensées, c'est la conscience de mon être. La véritable méditation, c'est voir, percevoir tout ce qui passe en moi, sans juger, en disant oui à tout ce qui passe... pour qu'il passe.

Ainsi, quand la culpabilité monte en moi, c'est inutile de la nourrir ; il faut plutôt la laisser passer, comme l'oiseau. Il faut réparer si mon geste a causé du tort, si c'est possible. Sinon, il faut que je me pardonne et apprenne de cette expérience. Voilà ce qu'est la méditation sur la culpabilité qui n'est qu'une expérience parasite...

Quand je me surprends à juger mon semblable, c'est inutile de continuer ; il faut laisser passer mon jugement comme l'oiseau... Juger l'autre, c'est me juger, car nous sommes un. Tout ce que je fais à l'autre, c'est à moi que je le fais et le jugement est inutile. Il faut plutôt me pencher sur ce qu'il dérange en moi à cause de ce que je n'accepte pas en lui, et qui n'est souvent que le reflet de ce que je refuse en moi... Voilà ce qu'est la méditation sur le jugement qui n'est qu'un discours parasite...

Si la peine monte en moi, c'est inutile de la grossir par les discours de mon mental qui amplifient mon mal. Il faut la laisser venir en moi, comme l'oiseau entre dans mon champ de vision, et elle passera, si je n'ai pas cherché à détourner mon regard de sa présence, ni cherché à la suivre de mon regard. Voilà ce qu'est la méditation sur la peine qui n'est qu'émotion parasite...

Si la colère monte en moi, c'est inutile d'exploser avec violence, comme c'est inutile de me faire violence en la refoulant en moi. Il faut l'accueillir et elle passera, comme l'oiseau... La colère se transformera d'elle-même en courage d'être, cette puissance d'être qui me permet de faire respecter mes besoins dans le respect de ceux de mon semblable. Voilà ce qu'est la méditation sur la colère qui n'est qu'une émotion parasite.

Quand la souffrance monte en moi, il est vain de la fuir de mon regard, elle passera comme l'oiseau, si je l'accueille tendrement en moi. Elle se transformera en conscience quand elle m'aura appris en quoi je déroge aux lois de la nature. Voilà ce qu'est la méditation sur la souffrance qui n'est qu'une expérience parasite... Mais si l'amour intense brille en moi, si la conscience d'être un avec tout me transcende, si je deviens amour, paix, harmonie, unité, alors j'ai atteint ce que je suis au plus profond de moi. Je suis devenu un avec mon mantra, je suis devenu un. Je suis devenu le ciel bleu et le ciel bleu est devenu moi. Je suis devenu Conscience-Amour.

Dans cet apprentissage de la vigilance, il faut toujours me rappeler que j'ai eu besoin d'innombrables pensées parasites qui m'ont déconcentré et détourné de mon mantra, que j'ai eu besoin d'innombrables émotions parasites qui m'ont détourné de ma véritable identité spirituelle imperturbable. Il faut aussi me rappeler que j'ai eu besoin d'innombrables souffrances pour me rappeler à l'ordre, m'indiquant que je marchais hors du chemin qui me convenait.

Dans cet apprentissage de la vigilance, il faut me rappeler que je suis ce qui reste, quand tout est passé en moi, comme le ciel bleu est tout ce qui reste dans ma vision, quand l'oiseau est passé.

Mes pensées, mes émotions, mes souffrances, sont des passeurs sur le chemin de la conscience. Ce sont mes véhicules qui me déplacent d'un point à un autre, de la surface à la profondeur de mon être. Plus nous descendons en nous-mêmes, plus nous nous élevons sur l'échelle de la conscience pour devenir de plus en plus un avec la vie. Et, au terme de notre voyage vers une vie plus consciente, il nous est demandé de franchir une autre étape dans l'escalier de la conscience. Une marche de taille, il va sans dire, puisqu'il nous est demandé d'appliquer toutes les attitudes nécessaires à l'évolution du couple envers chacun. Puis-je regarder mon semblable en pensant : « Si je coule, tu coules ; si tu coules, je coule ; nous sommes un. »

Puis-je envisager la guerre, la famine, la torture lorsqu'est appliqué le « si tu coules, je coule ». Si je te tue, je me tue ; si tu meurs de faim, je meurs aussi ; si je te fais souffrir, je souffre comme toi. La guerre commence en soi. Ainsi en est-il de la paix ; elle commence toujours par le cœur. Et pour atteindre le cœur de l'être, l'ego doit se faire de plus en plus transparent en devenant de moins en moins égocentrique, de moins en moins égoïste, de moins en moins orgueilleux pour devenir de plus en plus Soi...

La méditation est d'abord une technique destinée à mourir pour que vienne l'état de méditation qui se transforme en médit*action* : conscience agissante. Et, pour nous aider à vivre en médit*action*, il est toujours possible de recourir au mantra de l'unité : « **Nous sommes Un** », qui signifie : « Si j'y arrive, tu y arrives ; si tu y arrives, j'y arrive ; tu es une main, je suis l'autre, nous formons la paire. » Et, qui sait, appliqué avec vigilance, ce mantra pourra peut-être nous conduire encore plus loin dans notre traversée vers la Conscience...

On peut parcourir le site Internet de l'auteur
pour connaître ses autres publications et ses activités de formation:
http://surf.to/brancourt

# Bibliographie

ARGYLE, M. *La psychologie des relations interpersonnelles*, Ottawa, Éd. Paulines, 1972.

ASSAGIOLI, R. *Psychosynthèse*, Paris, Epi, 1976.

BATESON, G. « Communication », *La nouvelle communication*, Paris, Éd. du Seuil, Coll. Points, 1981.

BÉLANGER, G. « La gestalt thérapie », *Psychothérapies actuelles*, Dabrowski, K. et coll., Québec, Éd. St-Yves inc., 1977.

BENOÎT, J.-C. et BERTA, M. *L'activation psychothérapique*, Bruxelles, Dessart, 1973.

BOLEN, J. S. *Le tao de la psychologie*, Paris, Mercure de France, 1983.

BRAILLARD, P. *Théorie des systèmes et relations internationales*, Bruxelles, Bruylant, 1977.

BROSSE, T. *La « conscience-énergie », structure de l'homme et de l'univers*, Paris, Éd. Présence, 1978.

BRUNTON, P. *La réalité intérieure*, Paris, Payot, 1983.

CAMPBELL, S.M. *Changer ensemble*, Montréal, Éd. de l'Homme, 1988.

CAPRA, F. *Le tao de la physique*, Paris, Tchou, 1979.

CARKHUFF, R. R. *Toward Actualizing Human potential*, Massachusetts, Human Resource Development Press, 1981.

CHAREST, J. *La conception des systèmes : une théorie, une méthode*, Québec, Gaëtan Morin Éditeur, 1980.

CRAMPTON, M. « Psychosynthèse : aspects clés de la théorie et de la pratique », *Psychothérapies actuelles*, Dabrowski, K. et coll., Ottawa, Éd. St-Yves inc., 1977.

DE GRÂCE, G. R. *Mésadaptation positive et actualisation, l'enfant exceptionnel*, 10 (3): 257-266, 1974.

DE PERRETTI, A. *Pensée et vérité de Carl Rogers*, Toulouse, Privat, 1974.

DETHLEFSEN, T. *Le destin une chance à saisir*, Suisse, E. Randin, 1982.

DURAND, D. *La systémique*, Paris, Coll. Que sais-je ?, no 1795, 1979.

DURCKHEIM, K. G. *La percée de l'Être*, Paris, Le courrier du livre, 1971.

FERGUSON, M. *Les enfants du Verseau, pour un nouveau paradigme*, Paris, Calmann-Lévy, 1981.

FRANKL, V. E. *La psychothérapie et son image de l'homme*, Resma, 1970.

FROMM, E. « Le caractère social », *Psychologie sociale*, Paris, A. Levy, Dunod, 1965, 36-39.

GARNEAU, J. et LARIVEY, M. *L'auto-développement psychothérapie dans la vie quotidienne*, Montréal, Ressources en développement inc., 1979.

GROF, S. *Psychologie transpersonnelle*, Monaco, Rocher, 1984.

HENDRIX, H. *Le défi du couple*, Laval, Modus Vivendi, 1994.

HÉTU, J.-L. *Psychologie de l'expérience intérieure*, Ottawa, Éd. du Méridien, 1983.

JOSHI, P. *Adaptation et actualisation de soi : modèle explicatif pour l'enfance inadaptée*, Rev. Port. Def. Ment., 1974, 2(10): 209-217.

JOSHI, P. « Fondements théoriques de la nouvelle perspective de la santé mentale », *Annales médico-psychologiques*, 1971, tome 1, no 4: 497-536.

JOSHI, P. *Théorie des systèmes généraux; structures hiérarchiques et systématisation dans le domaine de la santé mentale*, Rev. Port. Def. Ment., 1972, 2 (7): 62-88.

JOURARD, S. « Le dialogue expérimentateur-sujet », *Psychologie et libération de l'homme*, Bugental, J. F., Paris, André Gérard Marabout, 1973.

KOESTLER, A. *Le cheval dans la locomotive*, Paris, Calmann-Lévy, 1968.

LAING, R. D. *La politique de l'expérience*, Paris, Stock, 1969.

LAING, R. D. *Soi et les autres*, Paris, Gallimard, 1971.

LEBLANC-HALMOS, B. *Le Rével'Amour*, L'ÊTRE-IMAGE, 1991.

L'ÉCUYER, R. *La genèse du concept de soi, théorie et recherches*, Sherbrooke, Naaman, 1975.

L'ÉCUYER, R. *Le concept de soi*, Paris, PUF, 1978.

LESOURNE, L. *Les systèmes du destin*, Paris, Dalloz, 1976.

LINSSEN, R. *Au-delà du hasard et de l'anti-hasard*, Paris, Le courrier du livre, 1982.

MARCUSE, H. *Éros et civilisation*, Paris, Éd. de Minuit, 1970.

MARTZLOFF, C. *Découvrir les systèmes*, Paris, Éd. d'organisation, 1975.

MASLOW, A. H. «La réalisation de soi et son au-delà», *Psychologie et libération de l'homme*, Paris, Bugental J. F., Marabout, 1973.

MASLOW, A. H. *Vers une psychologie de l'être*, Paris, Fayard, 1972.

MASLOW, A. H. *The Farther Reaches of Human Nature*, New York, Penguin Books, 1972.

MEIGNIEZ, R. *L'analyse de groupe*, Paris, Éd. universitaire, 1970.

MUCCHIELLI, R. *Les réactions de défense dans les relations inter-personnelles*, Paris, ESF-librairies techniques, entreprise moderne d'édition, 1978.

MUCCHIELLI, R. *Les complexes personnels*, Paris, ESF, 1971.

MUSSEN, P. «La formation de l'identité», *Identité individuelle et personnalisation* sous la direction de Pierre Tap, Paris, Privat, 1980.

PAQUETTE, C. *Analyse de ses valeurs personnelles*, Ottawa, Québec/ Amérique, 1982.

PAUL, M. *Renouez avec votre enfant intérieur*, Barret-le-Bas, Le Souffle d'Or, 1993.

PELLETIER, D. *La représentation de soi*, Ottawa, Éd. du Renouveau Pédagogique inc., tome 1, 1971.

ROCHER, G. *Introduction à la sociologie générale*, Montréal, HMH, vol. 1, 1969.

ROGERS, C. R. *Le développement de la personne*, Paris, Dunod, 1968.

ROUSSEL, F. *Le moniteur d'orientation rogérienne*, Montréal, PUM, 1972.

SARRAZIN, C. G. *Le symbolisme du corps humain*, Montréal, Sélect, 1981.

SERVANTIE, A. et coll. *Normal et pathologique*, Paris, Éd. universitaire, 1971.

SHAPIRO, A. K. et coll. *The Placebo Effect in Medical and Psychological Therapies, in Handbook of Psychotherapy and Behavior Change*, 2nd Ed., New York, John Wittey and Sons, 1978, 369-410.

SHOSTROM, E. L. *Actualizing Therapy*, San Diego, Edits Publishers, 1976.

SIMON, H. A. *La science des systèmes*, Paris, Epi, 1974.

ST-ARNAUD, Y. *Devenir autonome*, Ottawa, Actualisation / Le Jour Éd., 1983.

ST-ARNAUD, Y. *La psychologie, modèle systémique*, Ottawa, PUM et CIM, 1979.

ST-ARNAUD, Y. *La personne qui s'actualise*, Québec, Gaëtan Morin Éditeur, 1982.

STETTBACHER, J. K. *Pourquoi la souffrance*, Aubier, 1991.

VAN RILLAER. *Les illusions de la psychanalyse*, Bruxelles, Pierre Mardaga Éd., 1980.

VON BERTALANFFY, L. «Le monde de la science et le monde des valeurs», *Psychologie et libération de l'homme*, Bugental, J. F., Paris, André Gérard Marabout, 1973.

VON BERTALANFFY, L. *Théorie générale des systèmes*, Paris, Dunod, 1973.

WACKENHEIM, G. Communication et devenir personnel, Paris, Epi, 1969.

WALSH, R. N. et F. E. VAUGHAN. *Au-delà de l'ego*, Paris, La Table Ronde, 1984.

WATZLAWICK, P. *Le langage du changement, éléments de communication thérapeutique*, Paris, Seuil, 1980.

ZUKAV, G. *La danse des éléments*, Paris, Laffont, 1982.

**Marquis imprimeur inc.**

Québec, Canada
2009